14살,
미국 조기 유학을
떠나기로 결정했다

Harin Oh 지음

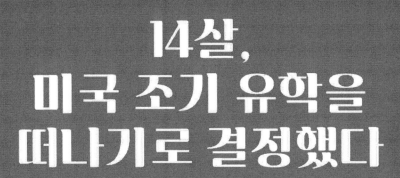

가와

저는 미국 뉴욕주 가톨릭 사립 중학교 조기유학을 성공적으로 마친 학생입니다. 유학 간 지 1년 만에 졸업과 동시에 President's Education Award(미 대통령상)까지 수상한 경험이 있습니다.

2023년 현재는 유학 2년 차로 미국 보딩스쿨(미국 기숙학교)에 진학하였습니다. 첫 단추가 중요한 만큼 뉴욕주 1년이란 G8 중학교 생활이 없었으면 미국 고등학교 진학은 도전하기 힘들었을 것 같습니다. 학교 성적이 96점 밑으로 떨어져 본 적이 없고 내신도 4쿼터 모두 평균 96.3 이상이었던 상위권을 유지할 수밖에 없는 몸소 체득한 노하우를 전해드리고 싶습니다.

조기 유학을 제대로 된 정보 없이 무턱대고 다녀온다면 섣부른 결정에 후회하는 분들도 생길 것입니다. 유학이 독이 되는 일부 케이스도 존재하는 반면 유학을 다녀와 더 빛을 발해 나아가는 분들도 차고 넘칩니다.

제 책에는 처음 접하는 미국 학교의 생생한 정보가 수록되어 있습니다. 학교 준비 과정, 학교생활, 내신 잘 받는 방법, 학교 적응 쉽게 하는 꿀팁 등 제가 할 수 있는 모든 것들을 세부적으로 알려드릴 겁니다. 저의 경험이 미국 유학 계획을 세우거나, 당장 미국으로 떠나고 싶은 중고등학생들, 혹은 이제 막 준비를 시작하신 분에게 선물 같은 책이라 생각합니다.

이 책은 미래의 유학생분들과 아직 불안정한 마음으로 결정 내리지 못한 친구들과 부모님께 많은 도움이 될 거라 자부합니다.

- 조기유학 나도 가도 되는 걸까?
- 조기유학 경험으로 얻는 것이 있을까?
- 조기유학이 과연 나에게 좋은 선택일까?
- 미국 학교 적응을 내가 잘할 수 있을까?
- 성적이 너무 고민된다?
- 조기유학 성공 케이스들은 어떻게 공부했을까?
- 한국에서 무엇을 준비해야 할까?
- 영어는 못하지만, 유학은 가고 싶어
- 부자만 유학 가니?
- 미국 학교 인터뷰 팁(실제 받았던 질문을 토대로 작성하였습니다.)

모든 고민을 한 번에 해결시켜 드리겠습니다. 저도 처음 갔을 때는 부모님의 부재와 낯선 환경, 그리고 불안감 등으로 많이 힘들어했던 기억이 있습니다. 그렇지만 제가 그렇게 어렵게 부딪치고 배우고 쌓아 올린 경험이 저만의 노하우가 생겼습니다.

알고 가는 여행은 흥미롭고 설렙니다. 불안감과 두려움은 막막함에서 비롯됩니다. 막 유학 생활을 마치고 돌아온 제 이야기는 또래의 입장에서 무엇이 제일 궁금한지 잘 압니다. 이제 곧 유학을 준비하는 친구들과 부모님이 함께 읽어보시면 한결 마음은 가볍고 마음은 단단하게 될 거란걸 확신합니다.

또, 유학 생활이 훨씬 기대될 것입니다. 제가 조기유학을 가기 전에 한정된 정보들로 숨 막혔던 두려움과 뭔지 모를 불안감에 대한 경험이 있어 유학을 희망하는 친구들을 위해 이야기처럼 술술 읽어갈 수 있도록 구성했습니다.

미국 유학에 대한 막연한 생각은 제 책을 통해 저보다는 편안한 유학 생활을 가져다드릴 것입니다. 자세한 경험들과 힘들게 터득한 도움 되는 실제 노하우, 그리고 미국 학교에 가기 전에 알아야 할 기본적인 것들과 미국 학교의 특성, 내신성적 관리법에 대한 것들을 책에 힘껏 담아 보았습니다.

목차

PART 2 - 유학 생활의 꽃, 학교에 대해 자세히 알아 보자

01) 첫걸음, 학교 입학 준비 : 서류 접수와 인터뷰 질문목록, 인터뷰 잘 보는 팁

02) 공립과 사립, 확실하게 알고 넘어가자

03) 미국 학교의 학년별 과목과 헷갈리는 교육체계를 200% 이해해 보자

04) 가장 걱정되는 일, 친구 사귀기에 대한 꿀팁 대방출

05) 경험자가 100% 보장하는 과목별 성적 잘 받는 법

06) 일부 학생들에게만 주는, 수상하면 크게 도움 되는 President`s Education Awards(미 대통령상)은 무엇일까?

07) 시간 낭비는 스톱! 나 스스로 지키는 효율적인 시간 활용법

08) 가장 어려웠던 과목과 보완 방법

09) 조기유학, 과연 '공부'만 잘해도 되는 걸까?

10) 이것만 알면 걱정 없는 학교생활 꿀팁

11) 현재 나는?

PART 1

01) 해외 출국 전 발급받아야 하는 비자, 어떻게 무슨 비자를 발급받을까?

미국인이 아닌 우리는 미국에 들어가기 전에 신분이 필요합니다. 우리 같은 미성년자가 부모 없이 단독으로 유학을 가는 경우 받을 수 있는 비자에는 두 가지 종류가 있습니다. J-1과 F-1입니다. 각 비자의 자세한 상세 정보를 아래에서 알아보겠습니다.

J-1 공립 교환학생 프로그램
(US Public High School Exchange Program)

J-1 비자는 미국 국무부에서 주관하는 청소년 문화교류 프로그램입니다.

전 반기문 UN 사무총장도 첫 미국행은 청소년 문화교

류 비자인 J-1을 통해서입니다. 미국 국무부 주관이라 딱 신뢰가 가죠? 문화교류 프로그램인 만큼 일 년 동안 자원봉사 가정에서 현지 학생들과 공립학교에서 같은 정규 수업과 클럽 활동을 할 수 있어요.

 가장 큰 장점은 신원조회 거친 호스트 가정을 선정하며 저렴한 비용으로 영어와 문화 교류에 참여할 수 있어요. 또, 학교와 홈스테이는 교환학생 운영기관에 따라 대부분 안전한 중소도시에 배정되어요. 1년 안에 돌아와야 하는 비자입니다.

참가 자격 : 9월 학기 기준 만 15세 이상부터 만 18.5
            세 이하
(쉽게 말해서 중학교 3학년 상반기에 태어난 친구들부터 참가할 수 있어요. 중학교 3학년 9월생부터는 고등학교 1학기 여름방학부터 신청이 가능하죠.)

최근 성적 : 평균 70, 영어는 '우' 이상
영어 공인 성적 : ELTIS 222점 이상

F-1(미국 학생비자)

참가 자격은 J-1과 비슷하지만 나이 조건이 달라요. 만 12세 이상부터 가능합니다.

저는 지원 당시 나이가 만 13세이기 때문에 F-1으로 비자를 받았어요.

F-1 비자는 일반 학생 비자입니다. 사립초, 중, 고, 대학교, 어학연수 등 학업 기관에 등록한 학생들이 받는 비자입니다.

저는 사립 가톨릭 G8으로 미국 유학을 시작했어요. 이 비자는 5년 체류할 수 있어요. 중간에 학교나 홈스테이가 마음에 안 들 경우 전학이 용이합니다. 학교의 수업료, 홈스테이비, 재단비 등을 본인 상황에 맞는 학교를 찾을 수 있어요.

인터뷰

인터뷰에서 생각보다 많은 분들이 힘들어하시는데 생

각보다 쉽습니다. 심사가 청소년이라 까다롭지 않습니다. 상당히 쉬운 질문들이기 그렇게 긴장하지 않으셔도 됩니다. 누가 들어도 불법체류 또는 유학 외의 불순한 목적이 느껴지는 답안만 피하시면 무난하게 발급받으실 수 있을 거예요.

인터뷰 질문들은 대부분 유학과 관련되어 있어 미국 내 거주지를 포함한 아주 기초적인 것들만 아신다면 인터뷰가 쉬울 겁니다.

제가 들었던 질문들은 아래에서 살펴보겠습니다.

Q - Do you have any place to stay? Where are you going to stay?

A - I am going to stay at my host family`s home in Rochester, New York.

예시) 뉴욕주 로체스터, 일리노이주 시카고... 등등

Q - Who are you going to stay with? Do you have any relatives or family members you know in America?

A - I am staying with my host family. No, I don`t

have anyone I know.

저는 호스트 맘이랑 같이 1년 동안 지낼 목적이었기 때문에 사실대로 대답했습니다. 호스트 패밀리 말고 기숙사로 가시는 분들은 그렇게 대답하시면 돼요.

Q - Are you in high school?
A - No, I am an upcoming 8th grader.

Q - What is the name of your school? Why did you pick this school?
A - 사람마다 답이 다르기 때문에 별다른 조언이 없습니다.

답변이 대부분 간단하듯이 너무 장황하게 말할 필요는 없습니다. 여러분들은 학생이라서 대답을 공부 관련한 것들로만 물어봅니다. 아예 예외 된다는 뜻은 아니기에 충분히 생각하고 신중하게 답하세요.
복장도 너무 격식 없는 차림은 피하시는 걸 추천해 드

립니다. 몇 번씩 말해도 부족하지만, 조심해서 나쁠 건 없습니다.

모든 질의응답은 영어로 이뤄집니다. 보호자 없이도 충분히 대답이 가능하시고요. 하지만 난이도는 쉬운 편이니, 질문 이해를 잘못한 것 같으면 다시 한번 물어봐 달라고 정중하게 부탁하는 게 뜬금없는 대답을 해서 괜히 의심 사는 것보다 백배 낫습니다.

비자 인터뷰 과정이 어떻게 이뤄지는지 궁금하실 분들이 많을 텐데요. 이것에 관해서 이제 천천히 대답해 드리겠습니다.

첫 번째로, 우선 주한미국대사관(영사관) 앞에 내리면 건물 안으로 들어가기 전에 줄을 선 사람들이 보입니다. 줄서기 전 매표소 같은 창구로 가서 예약 확인부터 하세요. 그다음 줄 안내가 됩니다. 줄에 서서 기다려야 안으로 들어갈 수 있고 안으로 들어가려면 자기 차례가 되었을 때 필수 서류와 여권을 부스 안 남자분께 드린 후 신분 확인을 위해 서류상의 사진과 실물이 일치하는지 확인받아야 합니다.

두 번째는 건물 안에 들어가 안내대로 지시를 따르는 일인데요. 핸드폰을 포함한 소지품들은 가지고 들어갈 수 없습니다. 꺼두고 보관하는 곳에 맡겨 두어야 인터뷰 뒤 찾아갈 수 있어요. 인터뷰 진행 시간이 너무 지루합니다. 책을 가져가는 것이 좋습니다. 시간을 그냥 보내는 것보다 유학관련 책이라도 읽으면 시간이 빨리 지나갑니다.

세 번째이자 마지막 과정이 대망의 인터뷰죠. 인터뷰는 가자마자 예약된 시간에 모두 한꺼번에 보는 건 아니고 줄을 선 후 차례대로 보는 거예요.(그렇다고 지각하면 안 돼요!) 줄이 총 두 줄 있는데 인터뷰 보는 줄은 두 번째 줄이에요. 첫 번째 줄에서 한참 기다리다 보면 두 번째 줄로 넘어가게 되고 거기서 또 한참 기다리면 인터뷰를 볼 수 있어요. 영사분들께 서류를 넘겨 줘야 하니 야외 줄에서 가지고 있었던 서류 및 여권 등등은 꼭 지참해 주세요. 쓸데없는 물건이면 아마 두 번째 단계 1층에서 못 가지고 올라가게 할 거예요.

모든 것이 종료되었다면 밑으로 내려와 소지품을 가져가세요. 그리고 이제 자유입니다. 제가 이걸 했을 때는 이 모든 과정이 2시간에서 2시간 반 정도 걸렸어요. 붐비는 시간대에 따라 다르지만 그렇게 큰 차이는 없을 거예요. 자기 시간보다 일찍 가도 인터뷰 볼 수 있어요. 저는 1시간 일찍 들어가서 인터뷰까지 무사히 마치고 돌아왔습니다.

[대사관 앞에서 인터뷰를 마치고 22.08.23]

02) 내가 유학하러 갈만한 사람인가?

 유학하기 전, 자신의 영어 실력을 객관적으로 평가하는 것은 필수라고 볼 수 있습니다. 현재 영어 능력이 얼마나 좋고 나쁜지를 알아야 내가 어느 것에 적당하고 어느 것에 맞지 않는지 알아보기 쉽습니다.
 학교를 고르기 전 자신을 점검하는 것도 유학 성공을 위한 비결 중 하나입니다.

나에게 적합한 학교 고르는 팁

 예를 들어 본인의 실력이 10점 만점의 6인데 그럼에도 불구하고 실력 9짜리 아이들이 가는 학교를 고르면 내신을 따기도 힘들어지고 그런 환경에서는 적응하기 힘이 들 수밖에 없습니다.
 1~2 정도의 작은 차이는 열심히 하면 별문제가 되지 않지만, 너무 어려운 곳을 고르면 확실히 힘듭니다. 조기유학이잖아요? 초등학생이면 중학교 때 옮겨도 아주

좋고 중학생이어도 고등학교 올라갈 때 레벨을 조금씩 업그레이드시켜서 차이를 줄여 1씩 올리는 게 한 번에 3씩 올리는 것보다 낫다는 겁니다. 조금씩 레벨을 올리면 원래 하던 것에 공부량을 더하면 되지만 한 번에 모두 올려버리면 학교를 따라가기 벅차고, 혼자서는 정말 어렵거든요.

이것을 저는 계단과 연관 지어 생각하는데요, 왜냐하면 계단을 한 번에 여러 칸 올라가는 것이 힘들듯이 천천히 한 칸씩 올라가는 게 비교적 쉽기 때문입니다.

사실 내신이 학교생활의 대부분을 차지하고 있다고 해도 과언이 아닌데 유학 하러 가서 내신을 잘 따지 못하면 성과가 결코 좋다고 볼 순 없겠죠?

● 그럼 내 실력보다 낮은 곳을 가는 게 더 적합한가요?

제 개인적인 의견으로는 절대 아닙니다. 저는 개인적으로 실력에 맞거나 차라리 조금 아카데믹한 학교로 진학하는 것이 바람직하다고 생각합니다. 1년을 있을 학교인데 내 실력보다 편안한 학교면 그 1년 동안 내 실력이 발전할 가능성이 떨어지기 때문이에요.

　사실 본인의 실력보다 '조금' 더 어려운 학교는 힘들기 긴 하지만 그만큼 노력하면 실력도 많이 늡니다. 1년은 생각보다 긴 시간입니다. 유학 생활의 1년이 정말 많은 영향을 끼칩니다. 영어는 당연히 그렇고 학교에서 배우는 공부의 질이 학생에게 미치는 영향 또한 그래요. 다음 연도에 학교를 더 높은 레벨로 옮기려고 할 때, 현재 학교와 옮길 학교의 레벨 차이가 너무 크면 그만큼 힘이 드는 게 당연하겠죠.

　물론 진학할 학교는 더 깊이, 전문가와도 상담을 받아보는 게 현명한 선택입니다. 영어가 능숙하지 않다면 편안한 분위기의 학교로 진학하는 것이 지혜로운 선택이겠지만,(영어가 조금 부족하다면 좀 더 학업적으로 편안한 학교 선택이 상황에 맞는 적합한 학교가 되어주기도 합니다) 제가 말하고 싶은 건 만약 선택지가 여러개 주어진다면, 적합한 학교들을 버려두고 첫 유학 생활이 주는 괜한 불안감에 부적합한 학교를 선택하지 않는 게 좋다는 거예요.

　기준은 정말 상대적인 거라 남의 의견에 휩쓸리기 쉬

워서, 이런 이유 때문에 저는 학교 선택 전에 개인 실력을 평가해 보는 게 좋다는 의미입니다. 기준을 정확히 세우고 학교들을 추리다 보면 분명히 맘에 딱 드는 학교를 찾으시는 데 성공하실 거예요.

NICHE.COM이란 사이트를 이용해 보세요. 학교별 등급이 나와 있어요. 규모와 수업의 형태, 선생님들의 전반적인 학벌 등 참고해 보세요. 학교등급은 A+, A, A-, B+, B, B-, C+... 순으로 나와 있답니다. 내 실력을 파악 후 학교를 정해보세요.

내 실력을 평가할 수 있는 객관적인 지표

앞서 자신의 실력을 아는 것이 얼마나 중요한지에 대해 말씀드렸습니다. 그럼 어떻게 내 실력을 확인할 수 있을까요? 방법은 간단합니다. 테스트를 보는 겁니다. 테스트도 종류별로 많은데 하나하나 간추려서 설명해 드리겠습니다.

- iBT TOEFL(토플)

 많이들 들어보셨죠? 성인들도 시험을 보는 테스트입니다. 우수한 학교일수록 토플 점수, 에세이, 각종 공인시험 점수를 요구합니다.

 토플은 120점 만점에 각 4가지 섹션들이 있습니다. 차례대로 Reading(리딩:읽기), Listening(리스닝:듣기), Speaking(스피킹:말하기), Writing(라이팅:쓰기)입니다. 각 섹션은 30점 만점입니다.

시 험시간은 대략 3시간, 정말 좋은 탑 보딩(Boarding School : 고등 기숙학교)들은 토플 100점 이상을 기본으로 요구합니다. 처음 보신다면 영어를 정말 잘하지 않는 이상 100점 이상을 받기 상당히 힘들고 특히 writing 같은 경우에는 integrated와 independent가 둘 다 존재해 점수를 얻기 위해 더 많은 노력이 요구되는 섹션입니다. 각 섹션에 대해 설명하겠습니다.

- Writing

: Integrated는 통합형입니다. 본문을 읽고 영어로 그 본문에 관해서 반대되는, 또는 동의하는 음원을 들어 필기한 후에 본문과 음원을 통합한 에세이를 써야 하는, 공부가 무조건 필요한 파트입니다(토플 에세이 샘플을 달달 외워야 좋은 점수를 받아요).

 Independent는 독립형입니다. Statement(주제)에 대해 동의, 또는 반대 여부와 그것을 상세히 서술해야 하는 에세이입니다. 이것도 샘플을 빠짐없이 외워야 좋은 점수를 기대해 볼 수 있습니다. 요약하자면 Writing 부문은 점수 얻기 까다로워 토플을 준비하는 사람들에게 두려운 적입니다.

- Speaking

: 마찬가지로 통합형과 독립형으로 나뉩니다. 하는 방법은 거의 비슷하고, 충분한 말하기 연습이 요구되고

탬플릿을 머릿속에 각인시켜야 합니다.

하나 팁을 드리자면 시간에 끌려다니면 안 됩니다. 말을 너무 빨리하면 정리도 안 되고 시간이 남아도는 반면, 말을 너무 천천히 하면 필요한 정보를 제한 시간 내에 다 담지 못합니다. 말할 것을 생각할 시간도 15초 밖에 주어지지 않기 때문에 머리가 빨리 돌아갈수록 유리합니다. 말할 시간도 여유 있지 않습니다. 45초 내로 모든 정보를 조리 있게 쏟아내는 연습도 필요합니다(독립형).

통합형은 모든 문제가 제각각이기 때문에 정해진 것은 없습니다. 부딪쳐 봐야 압니다. 실제 시험장에 가서 적막 속에 홀로 말하려면 정말 민망하겠다는 생각이 제일 먼저 들지만, 막상 시작하면 머리가 팽팽 돌아가서 남들 신경 쓸 정신조차 없어집니다.

- Reading

: 간단하게 영어 지문을 읽고 문제에 답하는 형식입니

다. 최근에 더미 문제가 없어졌다고 합니다. '더미'란 다 맞아도 다 틀려도 결과에 아무런 영향도 미치지 않는 문제들입니다. 영어책을 많이 읽는 것으로 실력을 늘릴 수 있습니다. 단어 같은 것들은 문맥을 읽고 그것에 따라 해석해야 하는 경우도 드물지 않습니다.

– Listening

: 읽기 영역과 똑같은 방식으로 테스트를 봅니다. 음원이 들리는 동안 필기를 해 문제를 맞혀야 하는 방식으로, 지속적인 집중력이 필요합니다.

 더 많은 정보를 알아보시려면 아래 링크로 접속해 주세요.
 토플 공식 사이트 링크 : https://www.kr.ets.org/toefl.html

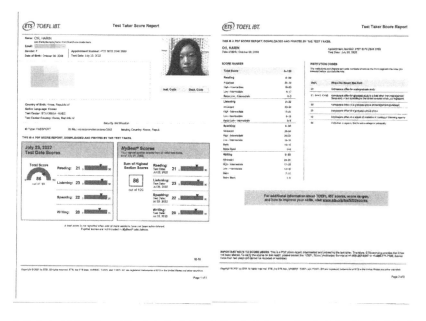

[태어나 처음 본 토플 점수입니다. 유학 결정하고 한 달만에 본 시험입니다. 공식점수를 내 봐야 나에게 맞는 학교를 선정 할 수 있어요. G8로 입학하기 위해서 ibt TOEFL을 요구하는 학교들이 있어요. 당시에 상담을 갔던 유학원에서 토플시험을 권유하셨고 덕분에 딱 맞는 학교를 선택할 수 있었어요. 중2 1학기는 여기저기 시험 본 기억밖에 없네요. 저는 저 점수를 기반으로 ESL 없고 G8 학생 통틀어 국제 학생이 저밖에 없는 곳으로 갔어요. 22.07.23]

• SSAT

미국의 수능과 같은 SAT의 전 단계입니다. SAT보다는 쉽지만 많은 공부량을 요구합니다. 토플과는 달리 레벨에 맞는 Language(리딩), Quantitive(수학), 그리고 Verbal(단어) 영역들이 존재합니다. 내 학년에 맞는 시험을 신청하신 후 시험을 보신다면 결과가 통보될 겁니다.

레벨은 세 가지가 있는데요. Elementary Level, Middle Level, 그리고 Upper Level로 나뉩니다. 결과는 백분율로 표시됩니다. 만약 내가 Language 영역에서 74%를 받았다, 이 말은 나는 상위 26%라는 걸 나타내는 겁니다.

이 백분율 학교에서 중요하게 보는 문서기 때문에 성적표에 적힌 숫자가 99에 가까울수록 상위권임을 증명해주는 자료가 되겠죠.

SSAT Level	Grade (학년)
Elementary Level	Grade 3-4
Middle Level	Grade 5-7
Upper Level	Grade 8-12

더 많은 정보를 찾아볼 수 있는 SSAT 공식 사이트 링

크(https://www.ssat.org/)

• MAP TEST(맵 테스트)

맵 테스트 또한 내 실력을 알아보기 적합한 테스트 중 하나입니다. 내 학년에 맞게 시험을 신청하면 되고 점수 또한 SSAT와 같이 백분율로 표시되는 점 알아두세요. 개인적인 이야기이지만 백분율은 내 위치를 알아보기 매우 편리하다고 생각합니다. 또한 이 테스트는 미국 학생들을 포함한 채로 채점하니 미국 내 나의 위치를 알아보는데 정말 좋습니다. 만약 내가 지금 8학년을 올라간다고 치면 테스트를 8학년 레벨로 신청해야 내 진짜 실력을 알아볼 수 있습니다.

Reading(리딩), Language(문법), 그리고 Mathematics(수학) 총 3가지 섹션이 구성되어 있습니다. 학년을 선택한다고 해서 꼭 그 학년 난이도의 문제만 나오는 게 아닙니다. 잘하면 잘할수록, 높은 학년의 어려운 문제들이 나오기 때문에 선행을 많이 해놓는다면 도움이 됨을 알 수 있습니다.

 반대 케이스도 존재하는데요, 어떤 일이 일어나냐면 만약 연속으로 문제들을 틀리거나 점수를 잘 받고 있지 못한다면 되려 낮은 학년의 쉬운 문제가 출제되는 일이 일어납니다. 시험 시간도 이에 따라 제각각이니 참고해 주세요. 문제가 어려울수록 소모되는 시간도 달라지고 잘할수록 문제의 개수가 늘어납니다.

 Map test를 연습해 볼 수 있는 사이트를 활용해 보세요. 저는 코리아헤럴드어학원에서 Map test를 신청해서 봤어요. 실제 생년월일로 작성해서 시험을 치르면 그 나이에 맞는 미국 학년으로 볼 수 있어요. 미국에서 채점이 된 후 메일이 오기 때문에 하루 이틀 소요 되고요. 성적이 나오면 코리아헤럴드 원장님이 성적표 보는 방법을 알려줍니다. 본인의 Lexile 점수도 나오기 때문에 책을 고를 때 지표가 되기도 합니다.

www.testprep-online.com

코리아헤럴드어학원 : 02-318-0505

(서울 중구 남대문로10길 6)

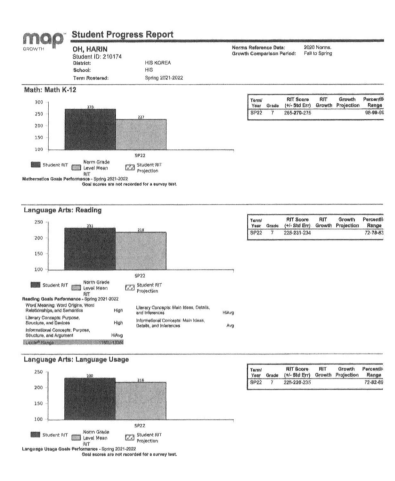

Student Progress Report

OH, HARIN
Student ID: 210174
District: HIS KOREA
School: HIS
Term Rostered: Spring 2021-2022

Norms Reference Data: 2020 Norms.
Growth Comparison Period: Fall to Spring

Math: Math K-12

Term/Year	Grade	RIT Score (+/- Std Err)	RIT Growth	Growth Projection	Percentile Range
SP22	7	265-270-275			98-99-99

Mathematics Goals Performance - Spring 2021-2022
Goal scores are not recorded for a survey test.

Language Arts: Reading

Term/Year	Grade	RIT Score (+/- Std Err)	RIT Growth	Growth Projection	Percentile Range
SP22	7	228-231-234			72-78-83

Reading Goals Performance - Spring 2021-2022

Word Meaning: Word Origins, Word Relationships, and Semantics	High
Literary Concepts: Purpose, Structure, and Devices	High
Informational Concepts: Purpose, and Argument	HiAvg
Literary Concepts: Main Ideas, Details, and Inferences	HiAvg
Informational Concepts: Main Ideas, Details, and Inferences	Avg

Lexile® Range: 1185L-1335L

Language Arts: Language Usage

Term/Year	Grade	RIT Score (+/- Std Err)	RIT Growth	Growth Projection	Percentile Range
SP22	7	225-230-235			72-82-89

Language Usage Goals Performance - Spring 2021-2022
Goal scores are not recorded for a survey test.

[나의 생년월일로 신청하면 미국학교 또래와 나를 견주어 볼 수 있어요. Reading 영역 밑에 Lexile Range가 있어요. 도서 선정의 기준이 됩니다. 독서는 많이 할수록 좋아요. 22.05.03]

- PSAT

　이 시험은 제가 미국 학교에서 처음 본 공식 시험입니다. 제가 다녔던 학교는 모든 8학년에게 시험을 요구합니다. Pre-SAT입니다. SAT의 모의고사 느낌인 거죠. 보통 8학년부터 시작해 고등학생들이 SAT를 준비하기에 앞서 이걸로 자신의 예상 성적을 대략 유추합니다. 8학년은 PSAT 8/9 시작해서 9학년은 PSAT 9, 10학년은 PSAT 10, 11학년은 PSAT 11...

　SAT는 1,600점 만점인 반면 PSAT는 1,520점 만점이기 때문에 PSAT 성적이 SAT 성적과 비슷할 것이라고 보는 의견들도 있습니다. 학년이 낮을수록 낮은 점수가 나오는 건 당연한 것이니 중학생이 막 1,400점대 나오지 않았다고 해서 좌절할 필요는 없습니다. 안 나오는 게 맞는 거긴 합니다. 미국 아이들도 그 정도 나이에 잘 나오기 힘들어요.

　솔직히 한국 유학생들은 대부분 수학을 선행하고 와서 수학을 잘하기 때문에 영어가 복병입니다. 따라서 저는 영어 공부를 많이 하시고 오시는 걸 추천해 드립니다.

영어만 잘하면 점수 잘 나오거든요. 이 점수는 나중에 다른 학교를 지원할 때 추가 이력으로 쓸 수 있습니다.

PSAT 공식 사이트 :

https://satsuite.collegeboard.org/psat-nmsqt

[미국학교 G8로 9월 입학 후 10월에 본 첫 공식시험 Past 8/9 대학 준비가 잘 되어가는지 지표로 알 수 있어요. 우리 학교는 전교생이 모두 시험을 본 후 이 성적을 토대로 상담을 해 주었어요. 22.10.21]

이렇게 나의 자리를 알아볼 수 있는 지표들에 대해 알아보았습니다. 한 살이라도 어릴 때 미리 준비해 놓거나 기반이 될 틀을 단단히 굳혀놓는 작업이 정말 중요합니다. 그래야 커서 고생을 하지 않고 훨씬 수월한 조기유학을 꿈꿔볼 수 있습니다.

● 꼭 가져야 할 마음가짐

  제가 앞서 언급했듯이 정확한 실력 체크가 필요하지만, 그것만큼 중요한 것은 본인의 의사입니다. 아무리 성적이 높게 나와도 유학 생활에 만족하지 못한다면 아주 힘들고 기나긴 시간의 시작일 것입니다. 제가 8학년 때 미국에 있었을 때 착한 친구들과 호스트 맘께서 옆에 있어 주었음에도, 적응을 잘했음에도 불구하고 시간이 지날수록 우울해지고 힘들었습니다.

  유학 생활이 별거 아닌 것 같이 느껴지지만, 가족의 곁을 떠나는 순간 그것들이 그리워지면 집으로 도로 가고 싶을 때가 수도 없이 있습니다. 유학을 원해서 간 케이스더라도, 언젠가는 지쳐 모든 것을 포기하고 돌아가고 싶다고 생각할 때가 오고 말 것입니다. 그런 것들을 줄이기 위해, 최소한 마음가짐이라도 잘 갖추어야 자신을 잘 보호해 낼 수 있습니다. 억지로 유학하러 간다면 말이죠, 사실 안 간 것만 못합니다. 동기부여 자체가 되지 않기 때문에 그냥 관두는 게 정신건강에 더 좋습니다.

그래서 유학하러 가기 전, 1년을 잘 보낼 준비가 되었는지 내가 무엇을 목표하는지 정녕 내가 원해서 가는 것인지를 다시 한번 확인해 보시기 바랍니다. 마음을 굳게 먹고 학업적으로도 열심히 노력해서 가는 것이 저는 최선이라고 생각합니다.

03) 영어는 자신 없지만, 유학은 가고 싶어

 유학을 목표로 하시는 분 중에는 간혹 영어가 준비가 안 된 케이스가 간혹 있을 겁니다. 이럴 때 영어를 늘리기 위해 별다른 준비 과정 없이 유학을 갈 수도 있지만, 이러면 돌아오는 게 다른 학생들에 비해 적을 수도 있습니다.

 긴 조기유학의 결론을 알려드리자면, 자신이 어떤 레벨에 있든 영어는 늘긴 늡니다. 그렇지만 자기가 하는 만큼 늡니다. 학교에서 말하고, 친구들과 떠들고, 숙제하고, 공부하고, 이런 게 간다고 해서 뚝딱 한 방에 해결된다면 참 좋겠지만 이런 것들은 하나부터 열 끝까지 개인의 능력에 달려있습니다. 제가 질문 몇 가지를 던질 테니 솔직하게 답해주세요.

- 외국인과 대화할 때 두려운가?
- 에세이를 어떻게 잘 쓰는지 아는가?
- 미국 또래 아이들이 읽는 영어책을 90% 이상 이해할 수 있나?

- 한국 학교에서 영어를 잘하는 편인가?
- 영어로 의사소통을 '원활하게' 할 수 있나?
- 내가 원하는 것을 영어로 대부분 주장할 수 있나?
- 스몰톡이 가능한가?

 제가 유학하면서 느꼈던 것들을 위에 다 적어보았습니다. 여기 기준에 다 들어맞아도 쉽지 않은 게 적응입니다. 언어가 달라 어려움을 느낄 수밖에 없고, 밀리지 않으려 미국 아이들보다 몇 배는 더 공부해야 잘 나오는 게 내신이고요. 친구 사귀는 것도 힘듭니다. 본인이 일 년을 가치 있게 보내려는 준비가 되어있어야 미국 유학이 그나마 할 만합니다.

 외국인과 영어로 대화하는 것에 두려움이 없어야 말도 주저하지 않고 할 수 있고 학교에서 발표를 즉흥적으로 해야 할 때도 실패없이 성공할 수 있습니다. 영어를 못하는데 수업시간에 선생님께서 급습으로 질문하신다면 생각만 해도 끔찍합니다. 친구랑 대화할 때도 영어가 안되면 대화가 안 됩니다.

에세이, 그러니까 영어로 글 쓰는 능력도 학교 내신에서 큰 역할을 차지합니다. 중요합니다.

ELA 또는 English 과목에는 글 쓰는 과제가 엄청나게 많은 데다 정말 큰 영향을 전체 내신에 미칩니다. 배점이 정말 커요. 저는 항상 제출하기 전 몇 번씩 확인해 보고 노력을 다 쏟아부었지만, 수많은 에세이들 중 가장 잘 나온 결과가 97이었습니다. 학교를 끝마치기 전 마지막으로 썼던 에세이라 정이 들어 점수가 제일 잘 나오길 바랐는데 그래서 기분이 좋았던 기억이 있네요.

에세이 과제가 많다는 건 하나를 쓰는 데 필요한 분량이 많다는 말입니다.

A4용지 3페이지는 기본이고 제 마지막 에세이는 7페이지였습니다. 저도 많이 쓴 편이지만 제 또래 미국 원어민 친구는 10페이지 가량 쓰더라고요. 컴퓨터로 작성하지만, 글을 쥐어짜 내야 하니 에세이 연습을 충분히 하고 가세요. 한 번도 배운 적이 없다면 꼭 배우세요. 내신을 지키기 위한 필수 중 필수입니다.

사회도 에세이를 써야 하는 숙제가 많은 편이라 글 쓰는 능력은 참 중요합니다. 사회 또한 3페이지는 기본에

다 제가 사회과목에서 가장 길게 쓴 에세이는 역시 제일 마지막 에세이로 6페이지를 달성하였습니다. 이렇게 보니 분량이 가장 중요한 것처럼 느껴지지만 제일 중요한 것은 에세이의 구성, 문법과 같은 기본적이지만 어려운 것들이니 헷갈리지 않으시길 바랍니다.

영어책에 대해서도 할 말이 많은데, 영어책은 무조건 많이 읽고 이해하시는 연습을 하세요. 모르는 단어를 잘 아는 것도 중요하지만 학교에서 필수인 독해 능력을 미리 키우기 위해서는 영어책을 읽고 적어도 문맥 흐름을 따라 그것이 무엇을 의미하고 줄거리가 무엇인지를 명확하게 알아야 합니다.

학교에서 분명히 책 읽기든 뭐든 읽는 것을 시킬 테니 그것에 대비하는 것이고, 애초에 독해가 되지 않는다면 모든 과목에서 좋은 성과를 바라기 힘듭니다. 심지어 수학마저 문제가 무슨 말인지 모른다면 못 풉니다. 독해가 되지 않는다면 과학, 사회, 영어, 특히 이 세 과목 점수는 포기한 것과 같습니다. 영어를 잘해도 결코 만만히 볼 수 없는 과목들인데 영어가 미진하다면 아예 접근이 힘들 가능성이 높습니다.

 내가 원하는 것들을 영어로 주장하거나, 부당함에 당당히 대응해야 합니다.

 미국은 말 안 하면 모른다는 게 정말 맞는 말 같습니다. 스몰톡은 별거 아닌 것처럼 보이지만 친구를 사귀는 데 정말 중요해요. 스몰톡은 한국말로도 연습해 보시는 게 좋습니다. 익숙해질수록 어디서든 좋거든요.

 이것에 익숙해지지 않는다면 외국 친구를 사귀려고 할 때 엄청난 어색함과 불편함을 경험해 보실 수 있습니다. 쉽게 말해 붙임성을 키워주는 도구라고 생각하시면 편하시겠습니다.

 결론 : 영어가 뒤받쳐 주지 않는다면, 외국인들 사이에서 녹아내리기 쉽지 않을 거예요. 영어가 되지 않는다고 유학에 실패할 가능성이 100%는 아니지만, 가능성이 정말 높고 미국에 가기 위해서 영어 공부는 필수라고 봅니다. 아주 어릴 때야 상관없겠지만 저처럼 중학교 때 유학을 가보려고 생각하신다면 단어 공부라도

충분히 준비해서 가는 것이 현명한 것 같아요. 영어 준비가 덜 되었다면 적응은 더디지만, 또 나름 동기부여 되는 것들이 많아요. 클럽 활동을 적극적으로 해서 스피킹이 느는 경우도 많고 한국에서 더 차근히 준비해서 다시 오는 경우도 있어요. 무엇보다 100% 영어환경이기 때문에 영어는 늘어요. 하지만, 저절로 늘진 않고 개인 차는 분명히 있어요.

어느 나라를 가든지 더 많이 준비해서 떠나는 게 내신 따기도 쉽고 적응도 잘 됩니다. 이건 제 개인적인 의견이지만, 가지고 있는 영어 능력이 높으면 높을수록 유학에서 얻는 것들도 많아지는 것 같습니다. 영어를 아예 못할 때랑 영어를 어느 정도 할 때 가보면 후자가 결과도 좋고 쉽다는 것을 저절로 알게 되실 겁니다.

04) 미국 가기 전 선행학습에 대한 모든 것

 미국 가기 전 한국 진도를 얼마나 나가야 하는지 감이 오지 않으실 분들이 계실 겁니다. 그리고 꼭 선행을 해야 학교에서 잘할 수 있는 걸까요? 저는 한국 교과과정을 많이 할수록, 특히 수학은 선행해 놓으면 내신 점수를 받기 쉬워지고 숙제하는 시간도 확 줄어들어요. 미국 학교에서 숙제가 상당히 많은 시간을 차지하는 편인데 수학 과목이라도 시간이 절약되면 다른 주요 과목인 영어, 사회, 과학 과목의 과제를 더 집중할 수 있어요.

 미국은 과제 대부분이 에세이 형식이라 관련 논문이나 관련 서적을 찾아보고 에세이를 써야 해요. 한국에서 영어 공부를 많이 하고 미국 왔다고 해도 저 같은 토종 한국인은 미국 친구들보다 리딩 속도가 느릴 수밖에 없었어요.

 만약 숙제들이 겹치는 날이라면 다른 공부할 시간도 없어서 수학 선행 해놓은 게 시간을 다른 과목에 분해할 수 있어 도움이 많이 되었어요.

 미국은 입학과 동시에 오리엔테이션 때 placement

test를 봐요. 우리나라는 동일한 교과과정이 어떤 학교나 똑같이 시작하잖아요. 미국은 입학 전 시험으로 학생 개개인이 듣는 수업이 달라요.

수학은 G-8 기준 대부분 Pre-Algebra(8th grade math), Algebra 1 또는 Geometry를 듣지만, 테스트 점수가 높으면 다음 단계를 듣기도 해요. 출발선이 다 다르단 이야기입니다. 수학 과정에 따라 과학도 같이 오픈되어요. 어느 나라나 수학과 과학이 중요한가 봐요.

수학

일단 수학은 영어로 공부하기 시작하면 매일매일 복습하지 않는 이상 까먹기 정말 쉽습니다. 개인에 따라 이해도도 천차만별일 거예요. 영어로 시작하면 읽는 속도와 이해력이 달리기 때문입니다. 그리고 미국 수학은 한국에 비해 어렵지는 않은 편이라 한국 수학을 잘해두면 수학은 성적을 거둘 수 있습니다.

단, 용어가 다르고 한국과 중요하게 여기는 부분이 다를 수 있으니, 용어는 스스로 수업 시간에 정리를 하는 것이 도움이 됩니다. 대부분 용어에서 이해를 잘못해서 실수하는 경우가 있어요. 중학교 2학년 때 유학을 시작한 저는 고등수학 1학년 과정까지 선행을 한 상태였어요. 확실히 8학년 때 다른 과목에 비해 시간 단축되는 게 느껴졌고 수학으로 쩔쩔맨 적은 없습니다.

 또 수학 시간에 영어가 부족하더라도 크게 자신 있게 대답하세요. 수업 시간에 나를 각인 시켜줄 수 있는 첫 번째 수업이 수학 시간입니다. 수업 시간에 선생님과 친구들에게 인정받기 시작하면 아무나 나한테 함부로 하지 않아요. 이때를 놓치지 말고 성실하고 성품 좋은 친구를 만들어 보세요.

 한국 수학 기준으로 이야기해 볼게요. 고등학교 기준입니다.

algebra 1 : 실수, 정수, 일차방정식, 지수, 다항식 인수분해, 근호, 무리방정식, 분수방정식

geometry : 길이, 거리, 각, 다각형, 평행선, 합동, 공간

조합, 피타고라스의 정리, 증명, 좌표기하학, 겉넓이와 부피, 닮음, 삼각형과 삼각함수

algebra 2 : 함수, 이차함수, 정렬, 방정식, 이차방정식, 다항식, 인수분해, 유리수, 역함수, 확률, 통계

Pre Calculus : 도식함수, 다항함수, 지수함수, 로그함수, 삼각법, 벡터, 극한

Calculus : 극한, 미분, 적분, 로그함수, 지수함수, 초월함수, 미분 방정식

보시다시피 고등수학 공통 수학뿐 아니라 수1, 수2까지 하면 다른 과목 공부할 시간적 여유가 생겨요. 수학은 최대한 많이 해 오는 것이 좋은 것 같아요. 그렇다고 쉽진 않아요. 용어가 다르기 때문에 내가 짚고 넘어가야 할 부분이 있거든요.

저는 수학 공부를 영어로 한 적이 없어 수업 시간에 정확하게 알고 넘어가려고 노력을 많이 했어요. 한국이랑 문제 스타일이 달라요. 한국도 그렇지만 풀이 과정을 더욱 꼼꼼하게 따져보고 그 과정에 따라 점수를 매깁니다.

과학

저는 중학교 3년 과정 화학과 물리를 끝내고 유학을 다녀왔습니다. 하지만 막상 가서 배운 것은 생물이기 때문에 그다지 빛을 보진 못했습니다. 물론 제 경험은 저희 학교에 한했으니 다른 학교는 다를 수도 있다는 점 염두에 두시기를 바랍니다. 솔직히 말하자면 과학은 학교에서 노트 필기한 것을 중심적으로 공부하는 게 선행을 지나치게 의지하는 것보다 낫다고 생각합니다. 시험은 디테일들을 물어보고, 선행은 학교에서 알려주는 디테일과 다릅니다.

우리나라는 통합과학으로 과학 안에 물리, 화학, 생물, 지구과학 다 조금씩 배우잖아요. 미국은 우리나라 중학교 3년 과정을 1년 과정으로 세분화해서 생물만, 물리만, 화학만, 지구과학만 쭉 한 과목으로 연결되어 있어요. 과학은 딱히 답이 없어요. 영어로 그냥 주야장천 외워야 해요. 한국도 마찬가지잖아요. 암기과목입니다. 학교마다 커리큘럼이 달라요. 하지만 분명한 건 한국과학이 밑바탕 되어 있으면 영어가 부족해도 이해할 수 있어요. 한국 교과서가 매우 우수하다는 생각이 들기도 했어요.

사회

 사회 또한 중요한 과목 중 하나입니다. 미국에서 나고 자라지 않은 우리는 미국에 대한 기본 배경지식이 부족할 수밖에 없어요. 학교 과제나 수업 중 저만 모르는 것들이 있어요. 친구들에게 물어보면 6학년 때 7학년 때 배운 내용이다. 그것을 더 자세히 설명하는 거라고 이야기합니다. 그래서 우리는 미국 역사와 세계사를 알아야 하긴 합니다.

 중학교까지는, 그럭저럭 괜찮게 버틸 만합니다. 수업 시간에 딴짓하지 말고 필기 제대로 이해 안 되는 부분은 찾아서 읽어보면 되는 데 시간이 오래 걸려요. 하지만 노력한 만큼 점수를 잘 받을 수 있어요. 미국으로 떠나기 전 미국 역사책이나 세계사의 큰 흐름을 짚고 넘어가면 금상첨화죠. 미국 역사는 꼭 공부해 가시고 역대 대통령이나 유명한 대통령 연설문은 기본적으로 알면 좋아요. 수업 시간에 툭툭 나오는데 저는 알 길이 없잖아요. 나중에 찾아보면 역대 대통령의 연설문이더라고요.

미국 가기 전 서점에서 미국사 책을 사서 읽었어요. 부모님보다 내가 내 수준에 맞는 책을 스스로 찾아보는 것이 좋아요. 세계사도 한 번쯤 쭉 읽어가세요.

영어

누누이 말씀드렸다시피 영어는 필수조건입니다. 그럼 뭘 어떻게 예습하라는 걸까요? 사실 학교 영어는 개개인의 실력이 뛰어나기를 기대할 수밖에 없습니다. 학교 교과서에 나오는 예문 같은 것이 뭔지는 아무도 모르기에 그저 리딩 실력과 더불어 라이팅 실력까지 키워가시면 괜찮은 성적을 받을 수 있습니다.

리딩을 어떻게 키우냐면 저는 책을 꼭 읽으라고 말하

고 싶습니다. 제가 과거로 돌아간다면 제일 먼저 할 게 영어책을 읽는 것이거든요. 영어책은 확실히 읽기 어렵습니다. 저처럼 독서가 취미인 분들께서도 막상 어려운 영어책들을 읽어보려면 기가 빨리는 느낌이 들 거예요. 읽는 것도 느려터졌고, 한 문장씩 해석하지 않으면 내용 이해가 힘들어집니다. 저는 영어책 읽기를 상당히 꺼려했습니다. 술술 읽히는 한국 책이나 번역본과는 다르게 영어 원서를 읽기엔 시간이 너무 오래 걸리더라고요. 하지만, 한 살이라도 어릴 때 책을 많이 읽어 주셔야 합니다. 그래야 나중에 가서 편해요. 그래야 리딩도 잘 나오고 어휘력도 풍부해지고 글도 잘 쓸 수 있습니다. 그 말인즉슨, 책을 많이 읽으면 학교 영어를 잘할 수밖에 없다는 거죠. 꾸준히 읽으셔야 합니다.

저 같은 경우에는 책 대신 청담 어학원에 다니면서 여러 학문의 지문을 읽다보니 자연스레 학업 리딩은 오히려 괜찮았어요. 하지만, 저도 연습을 더 많이 해야 한다는 걸 계속 느껴요. 모든 과제나 시험이 에세이 형식이라 자연스러움은 책에서 얻는 것밖에 없는 것 같아요. 영어는 그냥 하면 할수록 좋아요. 특히 SSAT 공부해 보세요. 난이도 별로 나뉘어 있으니, 학교에서 공부에 도움이 많이 돼요. 토플은 영어를 얼마나 할 수 있냐는 능력을 묻는 것이고 SSAT는 학과 공부를 잘할 수 있는 실질적인 공부인 것 같아요. 이쯤 되면 제 영어 실력이 궁금하실 것 같아요. 이제 살짝 제 이야기를 해볼게요.

저는 7살 때 9월부터 MAPLE 어학원을 초등학교 5학년 직전까지 다녔어요. 일단 원어민들은 정규 대학교를 나온 선생님들로만 계시는 학원이었어요. 원어민에게 영어를 배워서인지 외국인이 어릴 때부터 낯설지 않더라고요. 지금 생각해보면 노래하면서 별자리를 배우고 확장되어서 지구에 대해 배우고, 요리하면서 숫자로 수학을 덧셈, 뺄셈 배웠던 기억이 납니다. 이 학원에 특징은 한 줄이라도 자기가 쓴 writing을 제출하는 것이 숙제였어요.

첫날 갔을 때 기억이 아직도 나요. 대문자 A와 소문자 a를 썼던 기억이요.

그때부터 매일 2시간씩 4학년까지 다녔지요. 틀리기도

많이 틀렸지만 그게 중요한 건 아니잖아요. 잘 아는 것이 중요하잖아요. 그래서인지 writing은 그냥 써 내려갔던 것 같아요. 물론 주야장천 틀리기도 하지만요. 중간에 친구들은 다른 어학원으로 많이들 옮기더라고요. 부모님은 영어가 학문이 아니라며 자연스럽게 배우는 것을 추구하셨어요. 결과적으로 저에게 맞는 어학원이었던 것 같아요. 누구나 맞는 어학원을 꾸준하게 다니는 것이 좋은 것 같아요. 이 글은 절대 학원 홍보 글이 아닙니다.

 5학년부터는 청담 어학원으로 옮겼어요. MAPLE 어학원에는 그 당시 학원을 한번 옮겨보는 것도 좋다고 권유하시더라고요. 그래서 테스트를 여러 곳 보러 다녔고 청담어학원에 다니기로 했어요. 처음에 Bridge 단계가 나왔어요. 그다음부터 2년 정도 계속 이곳을 다녔습니다. 처음엔 너무 공부처럼 하는 영어가 익숙하지 않았어요. 어려운 단어를 왜 배워야 하는지 숙제는 왜 이렇게 많은지 솔직히 힘들었어요. 하지만, 숙제 한번 빼먹은 적도 없고 성실했어요. 청담어학원 잘 다녔다는 생각이 드는 건 토플모의시험을 준비하면서 느꼈어요. 토플이 낯설지 않더라고요. 그제야 제가 다녔던 학원이 토플 기반의 학원이란걸 알았어요. 저에겐 맞았던 어학원들입니다.

누구나 자기 스타일이 있듯이 학원이 중요한 것이 아닌 것 같아요. 나에게 맞는 학원을 찾고 꾸준함이 있으면 되는 것 같아요. 청담 마스터 반에서 두 번 떨어지고 잠시 휴식기를 가졌습니다. 그때 너무 많이 힘들었어요. 모든 떨어지면 스트레스를 받잖아요. 도대체 학원 레벨업이 안 되고 계속 떨어지니 답답했어요. 다른 방법으로 영어 공부를 하는 것이 좋을 듯싶었어요. 그래서 나의 실력을 점검할 겸 공신력 있는 대회를 준비했어요.

The 20th ESU Korea Public Speaking Competition 에서 초등학교 6학년 때 2학기 겨울방학에 대회가 열렸어요. 그때 초등 고학년부 은상을 탔습니다. 1등은 영국 유학비가 전액 지원되는 프로그램인데 대회 때 충격을 받았습니다. 영어가 유창한 학생들이 많더라고요.

외국에서 살았거나 국제학교에 다니고 있던 아이들 사이에서 경쟁하느라 힘에 부쳤어요. 부모님께 말씀드리지 않았지만, 대회가 끝나고 나니 한국에서 영어를 공부하는 것에 한계가 느껴졌던 것 같아요.

성과랑 별개로 영어 공부를 앞으로 어떻게 더 열심히 해야 할지 가슴이 막막했어요. 시간을 더 많이 내서 노출되어야 하는데 한국 학교에서 더 시간을 낼 자신이 없었어요. 그때 저는 유학을 가고 싶다는 목마름이 있었던 것 같아요. 내가 그동안 배운 것으로 미국 가서도 잘할 수 있는지 그냥 궁금했던 것 같아요. 한국에서 영어를 더 이상 내가 왜 해야 하는지 슬럼프가 왔죠.

제가 제 이야기를 말씀드리는 이유는 각자 조기 유학을 준비하면서 내가 얻을 수 있는 것, 배울 수 있는 것, 내가 원하는 것을 구체적으로 생각을 해보자는 의미입니다.

내가 왜 가려고 하는지요.

현재 우리는 생김이 다르듯이 본인의 컨디션은 다 다릅니다. 그동안 노력하며 배워왔던 것들, 내가 학교 다니면서 추구하는 것, 내가 가장 자신 있는 것, 내 성격의 장단점 모두 다 달라요. 자신만이 자신을 제일 잘 알아요. 자신의 위치를 아는 것이 정말 중요해요. 앞으로 나아갈 수 있는 계획을 세울 수 있기 때문이에요. 계획을 세운다는 것은 목표가 있다는 것이죠.

 나 자신을 아는 것부터가 유학의 출발입니다. 제가 감히 이렇게 말씀드리는 이유는 영어가 부족하면 ESL이 지원되는 학교인지, 국제 학생을 잘 이끌 수 있는 학교인지, 규모가 나에게 적당한지, 내가 유쾌한 성격이라면 내가 좋아하는 클럽이 있는 학교인지, 유학생을 맞이해 본 경험이 있는 학교인지, 좀 더 구체적으로 내 학교를 선택해야 합니다. 그래야 얻어 오는 것이 많아요.

 아무도 나를 대변해 주지 않아요. 정말 아무도 해결해 주지 않아요. 내가 나를 믿어야 해요. 소심한 성격이라면 좀 더 진취적으로 변해 올 수도 있고, 친구들이랑 잘 어울리는 친구라면 스피킹이 많이 늘어서 올 수 있고, 영어 공부를 잘하고 싶은 친구는 ESL에서 도움받고 많이 늘 수 있어요. 하지만, 성실해야 해요. 그리고 클럽활동도 많이 하고 절대 혼자 있는 시간을 만들지 마세요. 우울해져요. 그리고 아무도 나를 살피지 않아요. 정말 내가 적극적인 만큼 내가 많은 것을 얻고 주변도 도움을 많이 줍니다. 원래 그 학교에 다녔던 구성원처럼 자연스럽고 당당하게 학교에 다니는 것이 좋아요. 비록 일 년이지만 이 일 년이 나의 미래에 영향을 준다고 생각하면 어떻게 열심히 안 할 수가 있겠어요.

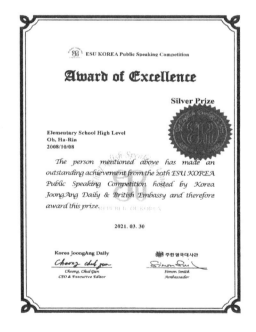

[초등학교 6학년 2학기 겨울에 참가했던 The 20th ESU KOREA Public Speaking Competition 결과가 늦게 나와 중학교 1학년이 된 3월에 상을 받았어요. 결과와는 별개로 영어 슬럼프가 찾아왔던 시기입니다. 이때 미국 유학의 마음이 생겼어요. 21.03.30]

05) 유학을 통해 맺을 수 있는 결실 미리 알아보기

유학 경험에서 얻은 저만의 가치를 이야기해 볼게요.

첫째, 내 이야기를 잘하는 학생으로 변했어요. 얌전하고 성실하고 착한 학생, 트러블을 싫어하고 선생님이 좋아하는 학생이라고 하시면 제 성격을 아시겠죠? 내 의견은 그렇지 않더라도 적당하게 수긍하는 학생이었죠. 또, 어른 말씀에 버릇없이 말대답한다는 소리를 듣기도 싫었고요. 근데 미국에서는 내 문제는 내가 해결할 수밖에 없어요. 단답형의 대화는 쿠키커터와 마찬가지로 이야기 단절만 되죠. 누가 딱히 지적하지 않아도 살아가면서 제 대화방식 때문에 저만 손해를 입은 적이 많다 보니 고쳐야겠다는 생각이 들었어요.

내가 왜 그런 생각을 했는지, 내가 원하는 것은 무엇이고, 내가 결정 내린 이유를, 호스트 가정과 선생님, 친구들에게 정확히 표현해야 해요. 또, 내가 원하는 방향성으로 도움받을 수 있는 것들은 무엇인지 물어보고 설명하기 위해 길게 대화하다 보니 내 이야기 하는 법이 늘었어요. 그들도 내가 처음이라 나에 대한 불필요한 오해를 없애기 위해 했던 대화가 유연한 사고로 더 확장되었던 것 같아요.

둘째, 다양한 액티비티로 더 밝은 내가 되었습니다. 한국 중학교에서는 앉아서 하는 수업이 많아 운동은 등하교 걷기 운동, 학원 늦어서 뛰어가는 운동밖에 한 적이 없죠. 아니 시간이 부족하죠? 학교 마치고 5시부터 9시까지 수학 학원, 다른 요일에 영어 7시부터 10시까지, 또 수행평가와 학원 숙제는 학교에서 해도 모자랄 지경이라 운동할 시간이 정말 없어요.

하지만, 미국에선 공부만 잘하는 학생은 매력이 없어요. 다양한 클럽 활동에서 신체 운동량을 늘려서 체력을 기르게 해요. 왜냐하면, 학년이 올라갈수록 공부의 양과 강도가 수직상승 되기 때문에 결국 신체가 건강한 친구가 더 좋은 성과로 이어지기 때문이에요. 또, 액티비티 때 친구들과 친해지고 운동을 하면서 건강한 신체에 대한 기준도 바뀐 것 같아요.

셋째, 웃음이 많아졌어요. 미국 사람들은 눈인사뿐만 아니라 학교에서도 눈이 마주치면 살짝 웃는 것이 예의인 것 같아요. 나도 모르게 무표정으로 있으면 다들 걱정해요. 아프니? 무슨 일 있니? 친구들과 사진을 찍어 보면 알 수 있어요. 다들 웃고 있는 가운데 저만 화난 사람 같더라고요. 그 사이에 무표정인 저는 정말 더 초라해 보였어요. 그다음부터는 억지로 입꼬리를 올렸더니 저를 일 년 만에 본 사람들 모두 웃음이 많아졌다면서 저보고 변했다고 하더라고요.

친구들도 이미지가 변한 것 같다고 해요. 자주 웃으니 또 자신감도 생기더라고요.

넷째, 여러 가지 영어 능력들이 한국에서 배웠던 시간 대비 많이, 단기간 내에 늘어서 정말 기뻤습니다. 몰입 100% 영어환경이잖아요. 아무래도 제일 많이 는 것은 스피킹 능력이라고 생각합니다. 정확한 강세와 발음을 해야 알아들어요. 늘 신경 써야 하는 부분이기 때문에 발음은 물론이고, 더욱 자연스러운 영어표현들이 늘면서 영어에 대한 자신감도 붙었어요.

유학을 통해 얻을 수 있는 것은 아주 많고, 사람에 따라 얻는 것이 다릅니다. 만약 유학하러 가서 열심히 한다면 그만큼의 성과를 가져다줄 거예요.

유학을 통해 얻은 것들을 글로 다 적지 못할 만큼 참 많습니다.
특히, 나에 대해 뒤돌아볼 수 있는 정말 귀한 시간이었습니다.

5-1) 조기유학은 정말로 어려운 도전일까?

 조기유학은 확실히 어려운 결정입니다. 부모없이 나 혼자 모든 걸 해결해야 합니다. 제가 한국에서 정말 대우받으면서 공부했다는 걸 새삼 느낄 수 있어요. 그냥 자기 공부만 하면 되는 거잖아요. 삐끗하면 미국 입시도 한국 입시도 어긋날 수 있으니 충분히 여러 번 스스로 되돌아보고 시작해야 한다고 생각합니다.

 저는 중학교 2학년 2학기 시작 전에 G8으로 미국에 들어갔어요. 더 늦기 전에 미국 학교로 대학 진학을 할지 한국 학교 진학을 할지 저를 알고 싶었거든요. 만약 어린 친구들이 이 책을 읽는다면 무조건 영어 공부를 최대한 많이 하고 가라고 하고 싶어요. 아니, 어릴 땐 그냥 가도 많이 늘어요. 말하는 건 정말 많이 늘지만, 워딩은 공부를 해야 해요. 말만 잘하고 독해가 부족해질 수도 있거든요.

 제 개인적인 생각으론 중학교 1학년 때 수학 선행만 잘 되어 있다면 그때 미국 학교 다녀오는 것이 좋을 것 같아요. 자유학기제라 시험도 안 보고 또 한국 입시를 하든 미국 입시를 하든 데미지가 크지 않을 것 같아요. 저는 이때 가고 싶었지만, 부모님이 너무 반대를 많이 하셨어요. 또 저처럼 중학교 2학년에 가는 친구들은 준비가 덜 되어있어도 영어는 늘 수밖에 없어요. 개인의 성향 차이는 있겠지만요. 대신 다른 대안을 찾아야 해요. 같이 도와주는 ESL이 있는지 확인해 보는 것이 좋아요. 또, 클럽활동을 열심히 하면 1년 후 친구들과 싸울 정도로 영어가 늘 수도 있어요. 다 본인 하기 나름이죠.

아무것도 준비되지 않았을 때 간다면 어렵고 보상이 충분하지 않은 결과를 낳겠지만 충분히 준비되어 간다면 여러분들께서도 후회하지 않을 수 있습니다. 준비가 되지 않았다고요? 그럼 지금이라도 목표를 정하고 준비하세요.

작은 목표라도 꼭 세워서 가세요. 그런 이유에서 제가 예습의 중요성을 계속 알려드린 겁니다. 미련이 남지 않게 열심히 공부하고 온다면 다시 갈 마음이 생길 거예요. 세계에서 가장 큰 영향력을 행사하는 나라에서 한 번쯤은 유학을 도전해 볼 가치가 있다고 생각합니다.

PART 2

01) 첫걸음, 학교 입학 준비
부제 : 서류 접수와 인터뷰 질문목록, 그에 따른 답안, 인터뷰 잘 보는 팁

좋은 학교들은 대다수 SSAT 점수와 TOEFL 점수까지 요구하니 어린 나이부터 차근차근 실력을 쌓아놓으면 그때 도움이 많이 될 거예요. 저는 토플은 미국으로 떠나기 전 한국에서 점수를 내고 갔고, 그 점수를 학교에다 제출하였습니다. 학교 다니면서 G9로 들어갈 보딩 스쿨 준비도 혼자 한다고 바빴어요. 미국 고등학교 대부분은 아니지만 제가 원하는 학교들은 SSAT 점수가 필수라 미국에서 SSAT를 홈 에디션을 보기도 했습니다.

공부하면서 느낀 점은 SSAT에서 verbal 영역은 학교 공부에 아주 많은 도움이 되더라고요. 한 번쯤 공부하는 것이 정말 많은 도움이 된다는 걸 알려드리고 싶어요. 여기까진 잘 따라오셨을 거라고 생각하는데 이제

인터뷰가 문제일 겁니다.

인터뷰는 아주 까다로운 과정 중 하나입니다. 저는 팬데믹의 영향으로 온라인으로 인터뷰를 가질 수 있었어요. 실시간 문제에 답하는 과정이기 때문에 처음 도전하는 분들께선 말을 더듬거나 당황할 수 있습니다. 하지만, 어떤 질문들이 나오는지 아신다면 인터뷰는 한결 쉽게 느껴질 것 같아요.

실제 제가 받은 질문들과 제가 답변한 방식을 그대로 서술해 놓았으니 도움이 되길 바랍니다.

인터뷰는 학교에 들어가기 위한 첫 번째 관문입니다. 일단 학교에서 입학허가서(I-20)까지 나온 상태이면 학교 담당자와의 인터뷰는 거의 형식상이므로 편하게 보면 좋습니다. 영어가 능숙하지 않을 경우, 인터뷰는 거의 10분 내외로 마칩니다.

영어에 조금이라도 자신이 있으면 대화를 계속 이어나가는 것이 좋습니다. 어차피 주사위는 던져졌으니 그냥 조금이라도 부딪쳐 보는 것이 나에게 약이 되는 법이니까요.

직접 받은 인터뷰 질문(보딩스쿨 지원 시)

 미국도 좋은 대학에 가기 위해 랭킹 좋은 학교에 지원합니다. 제가 미국에서 보딩을 지원했을 시 느낀 점은 미국 고등학교도 대학에 좋은 성과를 내야하기 때문에 우수한 학생을 뽑으려고 학생을 요모조모 보는 것 같아요. 면접관은 우리가 영어를 얼마나 능숙하게 하는지 학업은 잘 따라 올 수 있는 성향인지 알아보는 과정인 것 같아요.

 면접시 한 학교는 바로 에세이 주제를 주고 쓰게 하더라고요. 미국은 처음부터 끝까지 에세이입니다. 꼬리에 꼬리를 무는 질문들이 있을 수 있어요.

 자기 에세이는 정말 솔직하게 쓰세요.

• How did you apply to our school? 어떻게 이 학교를 지원하셨나요?

 저는 이 질문에 제가 학교 목록을 검색해 보고 그중에 이 학교를 선택해 학교 웹사이트를 둘러본 결과, 학교의 어떠한 것이 맘에 들어 이 학교를 선택했다고 답하였습니다.

이때, 제가 능동적으로 정보를 탐색했다는 것을 어필하는 답안이었습니다. 학교가 단순히 맘에 들어 선택했다고 말하는 것보단 학교의 특정 사항이 맘에 들었다고 구체적으로 말하는 것이 도움 됩니다.

● Why did you decide to study abroad? 왜 유학하기로 하셨나요?

솔직하게 말하는 것이 가장 베스트인 질문이고, 나의 열정에 대해 말해주는 것이 바람직합니다. "부모님이 시켜서요.", "그냥 하고 싶었어요.", "별 이유 없는데요.", "잘 모르겠어요." 같은 불확실하고 두리뭉술한 답을 하지 않으시길 바랍니다.

학교의 입장에서 생각을 해보자면, 열정이 있어서 열심히 하려는 의지가 돋보이는 학생을 더 많이 뽑으려고 하겠지요. 아무 이유 없고 별 의욕도 없어 보이는 학생을 굳이 리스크를 감수하면서 학교에 들이려고 하지 않습니다. 설령 뽑혔다 하더라도 그 학생에 대한 이미지는 나쁘게 머릿속에 오랫동안 잔류해 있을 수도 있습니다. 저는 어릴 적 봤던 프로그램을 이야기했어요.

"저는 어릴 때 교육프로그램에서 세계 유명도서관을 소개하는 영상을 인상 깊게 봤어요. 나도 저기서 책을 읽고 싶다는 생각이 들었어요. 소개된 대학도서관은 70%는 미국대학 도서관이었어요. 당장 집 안에 있는 책을 다 들고 그곳에 가고 싶었던 기억이 나요. 그때부터였던 것 같아요. 또, 미국은 세계 최고 강대국이잖아요. 누구나 기회가 주어지면 미국에서 공부해 보고 싶은 마음은 당연해요."

저는 이렇게 대답하였습니다.

● What do you do in your free time? 자유 시간에는 무엇을 하나요?

시간을 얼마나 효율적으로 보내는지에 대한 질문인 것 같아요.

저는 안락의자에 누워 간식을 먹으면 책을 읽어요. 책을 읽으면 날카로웠던 머리가 안정이 되는 것 같아요. 책의 장점은 안 가본 세상을 대신 가볼 수 있어 흥미로워요.

좋아하는 작가 이름을 직접 언급하는 것도 좋아요. 한국 작가를 소개해도 좋구요. 나는 미국 작가를 이야기했습니다. 마침 면접관은 자기가 좋아하는 작가라고 시리즈물을 읽었냐고 물으셨어요. 제목이 무엇이냐고 되레 질문을 했고 유감스럽게 못 읽어봤서 기회가 되면 읽어보겠다고 하고 그 작가의 다른 책을 읽었다고 소개했습니다. 그 책의 캐릭터 중 맘에 드는 캐릭터는 무엇이냐고 물으셔서 마음에 드는 캐릭터와 이유를 말했습니다. 면접관이 주변에 그와 비슷한 사람이 있냐고 물으셨는데, 내 주변엔 없지만 언젠가 나타나면 단번에 알아볼 수 있고 분명히 베스트프렌즈가 될 수 있을 것 같다고 답했습니다.

여러분! 면접관의 질문은 끝이 없어요. 하나하나 연결고리를 만들어 제가 어떤 학생인지 파악하는 것 같아요. 자기소개서 에세이가 얼마나 중요한지 아시겠죠?

• What`s your hobby? 당신의 취미는 무엇입니까?
우리 모두 솔직해져 봅시다. 침대에 누워서 스마트폰으로 웃긴 걸 보며 낄낄대거나 모 앱에서 친구들과 잡담하면서 몇 시간을 태우는 것을 하기 싫어하는 사람은 대부분 없습니다. 우리는 더 이상 자기계발서를 읽는 것과 같은 지루하고 복잡한 행동을 자발적으로 하는 것을 더 이상 선호하지 않고 대신 넷상 게임을 즐겨합니다. 하지만, 이러한 꾸밈없는 모습들을 면접관의 질문에 그대로 대답해도 되는 걸까요? 쉬어가는 질문 같아 보이고 인간미 있어 보이니까 될 것 같죠. 질문하는 사람이 누구든 우리는 그 사람이 주말에 일을 하지 않는다는 것을 알고 공부하지 않는다는 것을 알기 때문에 무심결에 그렇게 대답할 수도 있습니다.

하지만 그렇게 솔직하게 대답하는 것은 결코 좋지 않습니다. 그 대신, 나는 평일에 얼마나 바쁘던지 간에 쉬는 시간에도 생산적인 시간을 보낸다는 것을 알려줍시다. 여러분 운동이나 악기 하나씩 하시잖아요, 또는 저처럼 독서를 좋아하시는 분도 분명히 계실 겁니다. 그걸 말하는 겁니다.

내가 일주일에 한 번 '꾸준히' 운동을 간다, '매일' 악기를 연습한다, 시간이 나면 도서관에 가 독서한다. 이런 거 하나씩은 있을 거예요. 혹은 유튜브나 소셜미디어를 하신다면 그곳에 업로드될 영상을 찍어 편집한다.(어떤 채널인지 말할 것) 이런 것들을 말해주세요. 자신의 취미를 학교 클럽과 연결해서 말하는 것도 좋은 방법입니다.

"저는 아빠랑 골프 연습하러 가는 것을 좋아해요. 대부분의 운동은 아빠한테 배웠어요. 특히, 겨울엔 스키 타는 것을 좋아해요.(대부분의 학교는 스키부와 골프부가 있다. 또, 부모님과 유대관계가 좋은 것도 어필이 된다. 건강한 부모와의 관계는 학교에서도 친구들과 안정적인 관계를 형성할 수 있다)."

"독서를 즐기기도 하는데, 제가 재미있게 읽은 SF 판타지 또는 고전 명작들 (구체적인 책 이름을 언급하였습니다)입니다(나는 지원할 학교의 독서 클럽에도 어울릴 수 있는 학생이란 걸 어필한다)."

"바이올린 연주를 좋아한다. 오케스트라에서 일원으로 친구들과 작품을 완성해 나가는 과정에서 서로의 불협

화음에서 훌륭한 화음으로 끌어내는 과정에서 나 혼자 잘하는 것보다 오케스트라 안에서의 하모니가 훨씬 더 아름답다는 것을 많이 느낀다(악기로 나의 성실성 꾸준함을 어필할 수 있고 어느 그룹이든 화합을 잘한다는 메시지를 주면 적당하다)."

제 대답의 액기스만 뽑아봤습니다. 어떤가요? 모든 것을 빠짐없이 말했죠? 뻐기는 듯한데, 인터뷰에서는 이렇게 말하는 게 나아요. 겸손할 필요 없습니다. 소박하게 말하면 나 자신만 손해지 차라리 자신감 넘치게 말하면 손해는 안 봐요. 물론, 겸손할 필요 없다고 기본적인 예의를 안 지키면 안 됩니다. 예의범절을 최대한 싹싹하게! 제 말의 요지는 내 노력과 가치를 스스로 내리깎지 말되 예의 바르게 행동하라는 뜻입니다.

- Tell me about your family. 가족에 대해 말해보세요.

말 많이 해야 해요. 이 질문 꽤 많이 나와요. 구체적으로, 공들여 말하세요. 꼭 대본 준비하세요. 써서 외우든, 구글 독스에 글을 써서 실수 없이 말하든지 간에 대본 없으면 어버버하다 시간 끝납니다. 사실 모든 인터뷰 문제에 대본이 필요하기는 해요. 훨씬 수월하고 실수 안 해요. 저는 구글 독스에 예상 질문과 제 답안을 써 놓은 뒤 잠깐씩 참고하면서 인터뷰했어요.

가족 구성원에 대해 설명하고, 각자의 성격을 서술한 다음 그런 것들이 어떻게 나를 도와주었고 영향을 미쳤는지까지, 그래서 내가 그들에게 얼마만큼의 지원을 받고 비로소 나를 구성하였는지 다 말해주세요.

잘못된 답 : "엄마는 성격이 좋으시고 아빠는 가정적이세요. 제 형제자매는 살짝 얄밉지만 그래도 좋아요."

이렇게 대답하지 말아 주세요. 너무 성의 없습니다. 이 답변이 미리 예행연습을 해보지 않았을 때의 단순한 답변입니다. 최악입니다. 짧아도 너무 짧아요. 너무 감정적이기만 하고 내가 어떤 사람인지에 대한 말이 전혀 없습니다. 영양가 없는 답변이에요. 제가 답변을 미리 정리하지 않았다면 인터뷰에서 이렇게 말함과 동시에 후보에서 저 멀리 밀려났겠지요. 이 책을 쓰고 있지도 못했을 겁니다. 과연 학교가 순전히 내 가족에 대해 궁금한 건지, 아니면 내 가족들이 나에게 얼마나 중요하고 어떤 영향을 주었는지가 궁금한 걸지 잘 생각해 보세요. 하지만, 제가 이것을 조금 더 손을 보겠습니다.

제 가족에 대해 설명을 해보겠습니다. 우선 저희 엄마는 피아노 선생님이세요. 아시다시피 악기는 많은 연습이 요구되고 끈기가 중요하기 때문에 저의 엄마는 저에게 어떻게 노력하는지, 그리고 포기하지 않는 마음가짐을 알려주셨어요. 엄마는 근면 성실한 면을 중요시하시기 때문에 제가 악기를 연주할 때나, 학교에서 맡은 일을 수행할 때나, 그리고 공부할 때마저 항상 꾸준하게 하라고 하셨고 제가 구체적인 계획을 세우고 지키는 습관을 만드는 것에 큰 도움을 주셨습니다. 항상 성실함이 어떻게 사람을 변화시키는지에 대해 말씀하셨고 그래서 저는 학교 점심시간에 점심을 빨리 먹고 남는 시간에 학교 숙제를 미리 다 끝내고 와요. 그러면 집으로 돌아왔을 때 제가 필요한 공부나, 제 취미를 이어갈 수 있기 때문입니다.

저희 아빠는 건설회사 엔지니어세요. 댐과 하천의 다리를 짓기 위해 꼼꼼하게 대책을 세워두고 일을 하시는 아빠의 성격상 저에게도 영향을 미쳤습니다. 아빠는 저에게 빈틈없이 꼼꼼하게 하라고 조언을 해주셨어요. 작은 사소한 습관은 무언가 큰 것을 해낼 때 걸림돌이 된다고 하십니다. 만약 제가 무언가에 대한 목표를 세울 때 디테일이 부족해 보이면 어떻게 더 시간을 잘 활용할 수 있을지 알려주십니다. 제가 실패할 때마다, 같이 처음부터 빈틈없이 정리해 가며 더 체계적으로 살아갈 수 있도록 도와주세요. 저는 이로 인해 디테일하게 정리하는 것이 살아가는 데 얼마나 도움이 되는지 알았고 이것이 무척이나 도움이 된다는 사실을 인지하고 있습니다. 그래서 하나를 할 때도 끊임없이 노력하고 있어요.

제 동생은 정말 장난기가 많습니다. 하지만 저를 속이려고 할 때마다 번번이 실패해서 모두가 제 동생을 재미있어합니다. 빨간 머리 앤 2권에 나오는 말썽 피우는 저지종 송아지같이 말을 안 듣는데(가족을 책 캐릭터에 빗대어 말하면 좋다) 그래도 그녀가 좋은 심성을 가지고 있다는 것에는 의심의 여지가 없습니다. 가끔 트러블을 빚는 이유는 동생이 힘들게 하기 때문이지만 이런 점이 활력이 될 때도 빈번합니다. 정말 활달하기 때문에 동생의 에너지가 제가 조금씩 지쳐있을 때 생기를 불어넣어 주는 역할이 되어주는 것 같아요.

면접관 입장에선 훨씬 성의 있게 말하는 것이 좋겠죠. 이렇게 간단한 답을 나의 특성, 그리고 학교에서의 예상 모습 등등과 연관시켜 이야기한다면 어필도 확실하게 되고 좋습니다.

인터뷰 시 이것만은 안 돼요!

일단, 전 한국 중학교 교복 블라우스를 입고 인터뷰에 임했어요. 가장 학생다운 모습이니까요. 그리고 화상 인터뷰로 진행했어요. 목소리는 잘 들려야 하니까 원래 제 목소리보다 더 높은 톤으로 말했어요. 톤이 낮으면 발음이 뭉개지는 현상이 발생하여서 말입니다. 지금부터 제가 중요하다고 생각했던 문제들을 적어볼게요. 그리고, 유의해야 할 점은 무엇일까요?

인터뷰는 제가 쓴 에세이를 토대로 진행됩니다. 예를 들어 취미가 독서라고 했을 때 독서에 관한 질문을 한다거나 운동을 잘한다고 기재했을 경우 어떤 운동을 몇 년 했는지 구체적으로 물어봐요. 그림이 취미라고 하면 어떤 그림을 주로 그리는지 물어요. 그러니 본인의 에세이는 최대한 본인이 잘 제출하고 인터뷰에 임하는 것이 좋아요. 그냥 보기 좋은 본인 프로필이나 에세이를 적어 냈을 경우 당황할 수 있어요.
 G8 입학을 위한 인터뷰와 G9(보딩스쿨 지원) 인터뷰는 난이도가 달라요. 미국은 G9부터 고등과정이라 학생이 학교에서 얼마나 잘 따라 할 수 있는지 능력을 테스트하는 것 같아요. 공식 점수 외에 스피킹 실력이 얼마나 좋은지 확인하는 것 같은 느낌을 많이 받았어요.

스몰토크가 굉장히 중요하다는 느낌이 확 와요.

- 첫째, 거짓말을 하지 않는 것.

  단순하고 기본적인 관문이라고 생각하실 수도 있지만 생각보다 망각하기 쉽습니다. 더 잘 보이고 싶은 욕심에 거짓을 혼합해 대답하는 경우도 있는데요, 우선 즉각적인 거짓말은 앞뒤가 맞지 않고 부자연스럽게 느껴지기 때문에 신뢰도를 잃을 수 있습니다. 첫 만남부터 거짓말을 하는 것을 들킨다면 신뢰도가 하락해 추후 그 어떤 말로 만회하려 해도 불가능합니다. 당신의 말에 더 이상 신용이 없다는 말입니다. 그리고 거짓말을 했을 때 운이 나쁘다면 그것에 관해 질문할 수도 있는데, 대답하지 못하면 안 되겠지요.

  제 경우에는 어떤 책을 좋아한다고 말하자 그게 무슨 내용인지 질문하시는 선생님들이 매우 많으셨습니다. 그리고 그 책의 저자가 누군지 물어보셨던 분도 계시고 그 책에 관련된 캐릭터 중 마음에 들었던 부분은 무엇인지 물었어요. 만약 제가 그 책을 좋아한다고 말은 설명 못 했다면 수습 불가였을 겁니다. 탈락했을 거예요.

- 둘째, 더 나은 답변을 찾는 일을 해보지 않는 것.

  제 답변은 실제로 제가 즐겨하고, 열심히 하는 일들입니다. 한 치의 거짓도 들어있지 않지만, 제가 이렇게 가식적으로 보이는 답변을 진실하게 말할 수 있었던 것은 평소에 당연하다고 여겨졌던 것들을 조금 더 탐색해보는 시간을 가졌기 때문입니다.

  가족 간의 유대관계라거나, 제가 오로지 좋아해서 했던 독서, 그리고 악기를 연습하는 습관, 공부는 어떻게 하는지 등등을 오랜 시간에 걸쳐 알아보는 과정을 거쳤습니다. 저 또한, 이런 과정 없이 인터뷰를 마쳤더라면 제가 소위 말했던 최악의 답변들만 주구장창 말하다가 망쳤겠죠.

- 셋째, 대화 절단 금지!

  궁금한 게 없을 수 있습니다. 빨리 지루한 인터뷰를 벗어나 쉬고 싶을 수 있습니다. 하지만 티 내면 안 됩니다. 티 내는 순간 그 학교와는 이별한다고 보시면 됩니다. 면접관이 스몰톡이라는 걸 한다면 어울려 주세요. 별것 아니어도 추임새 넣어주고 나의 경험을 덧붙여 말합시다.

미국은 스몰톡이 중요한 나라인데 이걸 못하면 학교생활도 힘들어요. 저도 처음에는 무척 어색하고 왜 하는지 모르겠고 이랬는데 이런 걸 일 년 동안 계속 접하다 보니 결국에는 내성적이었던 성격이 더 외향적으로 바뀌었다는 말을 주변 사람들한테서 들었어요. 그리고 답변은 짧은 것보다는 긴 게 바람직해요. 너무 짧으면 무진장 어색하고 나에 대한 설명 같은 것들이 표현되지 않기 때문에 짧은 답변은 지양하시는 편을 추천해 드립니다.

● 넷째, 문제를 이해하지 못한 채로 답하는 것.

너무 긴장하면 그 스트레스를 미리 풀어주고 인터뷰를 봐야 합니다. 하지만 대부분은 배가 꼬이는 기분과 함께 인터뷰를 볼 수밖에 없을 건데요, 이때 답변을 완벽하게 하려는 의지 때문에 아이러니하게도 집중이 불가한 상황이 펼쳐지기도 합니다.

분명 면접관 선생님께서 무언가를 말했는데 이해하지 못했다, 이러면 정중하게 다시 한번 말씀해 주실 수 있냐고 여쭤보세요. 분명 다시 말씀해 주실 거예요. 만약 문제 이해를 하지 못한 채 답을 하게 된다면 양쪽 다 의아한 상황이 펼쳐질 수도 있습니다. 그러니까, 실수 하였다 하더라도 덮고 넘어가세요.

02) 공립 교환과 사립학교, 확실하게 알고 넘어가자

공립과 사립은 확연한 차이점이 있습니다. 나에게 맞는 학교를 찾는 여정 중에 가장 기본적인 것이라고 할 수 있겠네요. 저는 사립학교에 다녔는데요. 제가 왜 사립을 선택했고, 공립과 사립의 차이점이 무엇인지 생각하고 결정해야 합니다.

공립 교환

: J-1 비자로 미국 공립 교환 프로그램이다. 만 15세부터 만 18세까지 학생이 현지 학생들과 어울려 학습 및 다양한 액티비티와 문화를 경험하는 데 목적을 두고 있다. 호스트 가정들이 자원봉사 가정으로 모범이 되는 가정으로 이루어져 있다.

경제적인 측면에서 이보다 좋을 건 없다. 현지 문화를 미국인 가정의 일원으로 들어가기 때문에 가정에서 원하는 규칙은 지켜야 한다. 호스트 가정은 금전적으로 보상을 받지 않고 순수한 문화 교류를 목적으로 두기 때문에 서로 다른 문화에서 오는 갈등은 대화로 충분히 풀어야 한다. 예를 들어 가드닝이 취미인 가정에서 같이 과일을 따고 채소를 뽑고 할 수도 있다. 하기 싫어도 가족의 일원이니 뭐든지 함께 하는 것이 좋다.

공립은 주나 지역별로 빈부 차이가 난다. 공립 교환의 경우 대도시의 장점, 소도시의 장점을 충분히 인지해야 한다. 같이 준비하는 곳의 유학원에 장단점을 충분히 물어보는 것이 좋다. 한국도 학교마다 편차가 있듯이 미국도 마찬가지다. 대도시, 좋은 동네의 공립일수록 학업성취도는 높다. 시험 난이도와 과제는 평이하며, 복장이나 행동 규정 등 자유도가 사립보다 높다.

사립학교

: F-1 비자로 교육기관에 등록한 학생들이 받는 비자이다. 미국에는 다양한 사립학교들이 존재한다. 종교계

가톨릭학교, 크리스천학교, 아트스쿨 등 다양하다. 사립학교는 미국 학생들도 수업료를 지불하고 다니는 학교이다. 공립보다 더 체계적인 것이 일반적이다. 유학을 본인이 원하는 지역으로 선택할 수 있다는 장점이 있다. 또 5년 비자이기 때문에 학업을 계속 이어 나갈 수 있다.

공립과 사립은 다른 점은 직접 부딪쳐 보고 피부로 느낄 수 있어요. 하지만 결정하기 전에 한국에서 시간을 할애하셔서 신중히 고민해 보고 공립과 사립을 정하셔야 해요. 정해주는 대로만 따라가다 타지에서 힘들게 고생만 하고 오시면 안 되니까, 정말로 잘 고민해 보세요. 각자 장점이 뚜렷하니까 남들이 뭐라고 하던, 나 자신에게 맞는지 생각해 보세요.

제가 사립을 선택했던 이유 일단 나이가 만으로 13세 (중2)였어요. 가뜩이나 보내기 싫어하는 부모님은 총기가 합법이고 한창 인종차별의 무차별 폭행에 대한 기사가 돌던 때였어요. 부모님은 처음에 공립 교환을 원하셨고 제가 한국에서 입시를 치르길 바라셨어요. 그래서 중학교 때 일단 1년 다녀올 요량으로 알아보셨어요. 근데 저는 일단 나이 기준이 안 되더라고요. 생일이 하반기라서 제가 갈 수 있는 나이는 한국 고1 학교 여름이나 되어서 해 볼 수 있더라고요. 그럼 한국에 돌아오면 고2인데 입시가 이것도 저것도 안 될 것 같다는 생각이 들었어요.

전 나이 때문에 일단 F-1으로 유학을 준비했어요. 친구마다 입장과 처지가 다 달라요. 저는 주변에서 너무 늦은 나이에 조기 유학이라는 말을 너무 많이 듣고, 또 대부분 아이만 보내면 마음을 못 잡는다, 도피 유학이냐, 부모 없이 가면 나쁜 애들이랑 논다, 대마초 피운다, 술 마신다 등등... 부모님과 저를 위한다는 충고가 더 독이 되는 것 같았어요. 항상 나쁜 뉴스들만 더 자극적으로 퍼져있고 좋은 이야기는 하나도 안 들리던 때가 기억나네요. 마약이 한국보다 빈번한 미국에서 조금 더 안전하게 있으려고 했기 때문에 호스트를 정할 때도 정말 신중했어요. 저는 대학교까지 쭉 유학하는 것도 고려했기 때문에 공부 난이도가 더 높은 가톨릭 사립으로 지원했어요. 유학원의 추천학교와 부모님과 제가 원하는 학교를 고르기 위해 학교 사이트를 열심히 방문했던 기억이 납니다.

그 결과, 저는 일 년 동안 저에게 좋은 추억들만 만들어 준 학교와 호스트 맘을 만났고 그랬기에 계속 유학을 해볼 마음이 남아있습니다. 제 선택이 틀렸다고 생각하지 않고 유학하러 가기로 한 결정 또한 후회하지 않아서 너무 다행스럽습니다. 저는 다음에 이것을 기반으로 G9을 미국 내 보딩스쿨로 진학했습니다.

[애임하이교육(주)에서 교환 장학생으로 선정되었어요. 손재호 대표님과 애임하이 관계자분들이 세심히 신경 써 주셔서 안전하고 건강하게 돌아왔어요. 23.07.15]

[미국 공·사립 교환학생을 위한 출국 오리엔테이션 세미나에서 친구들을 위한 간담회를 가졌어요. 23.07.15]

호스트 가정

: 부모님이 원하는 호스트 가정은 부모님이 함께 계시고 자녀가 있는 일반적인 가정이었어요. 근데 추천받은 호스트는 미혼에 반려견 세 마리나 키우는 선생님이셨어요. 부모님은 걱정을 많이 하셨어요. 일단 학교 선생의 신분은 신원이 분명하고 반려견 중 두 마리는 구조

견이고 한 마리는 15년 키우셨다는 자기소개서를 읽고 마음이 움직였습니다. 강아지를 15년을 아무나 키울 수 없거든요. 또 구조견을 입양하셨다는 걸 보면 마음이 따뜻한 분이시죠.

후에 강아지 세 마리 식사 담당은 일 년 동안 제가 했어요. 자녀를 키워 본 적이 없어 제 마음을 몰라줄 때도 있고 음식이 소홀해서 속상한 적도 있지만 결과적으로 조율해 나가는 과정이 중요하다고 느꼈어요. 마지막으로 호스트 맘은 다음번도 한국 학생이 온다고 하면 무조건 오케이 하신다고 하셨어요.

호스트 가정과 규칙 지키기

1. 자원봉사 가정 또는 유료로 지불하는 가정이나 나를 책임져 줄 수 있는 울타리는 호스트 가정이다. 대접받으려고 하면 안 된다. 특히 유료 호스트비를 지불해도 식사 시간에는 내려와 식사를 돕는 것이 예의이고 문화다. 나는 손님이 아니다.

2. 내 신변의 안정도 호스트 가정에게 책임을 묻는다. 또 원하는 것을 분명하게 말할 줄 알아야 한다. 무료로 진행되더라도 억울함은 있으면 안 된다.

3. 가정 내 규칙은 반드시 지켜야 한다. 만약 지키지 못할 시 충분하게 자기 입장을 설명해야 한다. 호스트가 학생을 포기하는 경우도 있다.

4. 미국 문화 내에 잘 어우러지는 것도 미국 내 한국의 이미지를 구축하는 것과 같다.

[캐나다에서 본 나야가라 폭포. 22.11.20]

[추수감사절 연휴 때 호스트맘과 국경 넘어 캐나다로 여행을 다녀왔어요.]

재단에서 자기소개서 쓰기

자기 성격을 구체적으로 쓰세요. 예를 들어 여행을 좋아한다든지, 운동도 어떤 운동을 좋아하는지 자세히 쓰는 것이 좋아요. 자기소개서는 나를 선택할 가정에도 보내기 때문에 서로 비슷한 성향의 가족 구성원으로 들어갈 수 있어요. 좋은 호스트를 만난다는 건 정말 축복입니다. 나의 성장기에 부모가 아닌 누군가의 지지와 응원을 받는다는 건 또 다른 에너지의 원천이 되는 것과 같아요. 그냥 우리 이모 집이나 고모 집이라고 생각하고 최대한 자연스럽고 가족의 가사도 알아서 도와주면 좋아요.

내 방 하나 치우기 힘들었던 저는 처음에 가사 분담에 불쾌하기도 했어요. 학교 친구들한테 물어봤더니 다들 저마다 가사 분담을 하고 있더라고요. 집 떠나면 고생이라던 부모님 말씀과 더불어 너무 감사한 마음이 들었습니다. 그 후 저는 한국 와서 자연스럽게 집안일도 도우며 가족 내 대화도 더 많아진 것 같아요.

03) 미국 학교의 학년별 과목과 헷갈리는 교육체계를 200% 이해해 보자

입학 오리엔테이션과 동시에 테스트를 보고 반이 배정됩니다. 간혹 모든 수업이 다 겹치는 친구들이 몇 명씩 존재하는 반면 같은 학년인데 수업이 하나도 겹치지 않는 친구들도 있어요.

우리나라는 학생의 실력과 상관없이 모든 교과과정이 다 똑같이 구성되어 있지만, 미국은 테스트 결과를 기반으로 삼아 수업의 과정이 달라요. 본인의 학업 능력에 따라 출발선이 다 다르다는 뜻이죠. 알파이자 오메가입니다.

과목별 기본반과 심화반이 있어요. 또, 어려운 과목을 많이 한 친구일수록 4.0 만점이 아닌 4.5 만점으로 환산되기도 해요. 같은 학교 내에서 내신도 달라진다는 것이 참 흥미롭죠. 심화반은 또 대학교 과정을 이수할 수 있는 자격도 주어집니다. 고등학교 성적표로 누가 얼마나 강도 있는 공부를 했는지 알 수 있어요.

그래서 오리엔테이션 때 테스트를 잘 보는 것이 중요합니다. 그러니 유학하러 가기로 마음먹으신 분들은 뭘 해야 할까요? 정답은 영어 공부입니다. 뒤편에 참고할 만한 사이트를 찾아보시고 공부해 보세요.

필수과목은 영어, 미국사, 세계사, 사회, 수학, 과학으로 수준에 맞는 과목으로 배정되고 선택과목은 학교별로 상이합니다. 대체로 음악 관련, 미술 관련, 코딩 관련, 운동 관련, 경제 관련, 외국어 관련 과목들이 개설됩니다.

성적관리 미국은 우리나라처럼 공식화된 중간고사나 기말고사 고지가 없습니다. 하지만 학업을 많이 중시하는 학교들 경우 수업마다 전 수업에 대한 팝콘 퀴즈를 냅니다. 쪽지 시험도 수시로 봅니다. 정규 시험은 5~6주마다 과목별 시험이 치러집니다. 또 학기 말 6월엔 1년 동안 배운 모든 과목에 종합평가 시험을 치릅니다. 학업평가서 블랙 보드라는 사이트에 학교의 출석 및 과목별 피드백 성적표 모든 것이 다 나오고, 일 년의 나의 행실이 여실히 드러납니다.

일단 미국은 유동성이 뛰어난 나라입니다. 우리나라처럼 학년별 과목 레벨을 모든 학생이 들어야 하는 게 아니에요. 예시를 들어보자면, 우리나라는 초중고 모든 학년 때 그 학년에서 배우는 걸 무조건 들어야 합니다. 중학교 2학년이 중2 수학을 무조건 배우는 것처럼요.

하지만, 미국은 중2 때 공부를 잘하면 중3 수학을 들을 수 있고, 또는 실력이 평범하다 싶으면 중2 레벨의 수학을 들을 수 있습니다. 중학교 때는 수학, 과학만 그런 유동성이 부여되다 고등학교가 되면 자유도가 더 높아집니다.

이렇게 중, 고등학교 과목이 정해지기 때문에 학교 placement test를 잘 치러야 좋은 대학에 갈 확률도 높아집니다. 저는 후자의 루틴으로 8학년을 보냈기 때문에 9학년에 placement test 결과에 따라 geometry 또는 algebra 2를 듣게 되겠는데요, 운 좋게 algebra 2를 듣는다면 11학년 때 Calculus를 마치고 12학년 때 AP Calculus를 들을 수 있겠습니다. 타 과목도 AP들이 많은데 AP는 더 심화한 레벨이라 마친 AP의 개수가 많을수록 transcript에 좋은 결과를 남길 수 있습니다. 당연히 대학 갈 때 더 유리하고요.

제 학교의 과학 레벨 또한 수학에 따라 좌우됐기 때문에 placement test가 중요했어요. 하지만, 제가 위에서 설명해 드린 것은 저희 학교를 기준으로 작성되었기 때문에 학교마다 과목이 어떻게 있는지 꼭 확인해 주세요. 대부분 같겠지만 다른 점도 분명히 있을 거예요.

그래서 우리는 한국 선행이 필요합니다. 첫 단추를 잘못 끼면 옷을 완전히 잘못 입게 되는 것처럼 미국도 placement test를 잘 봐야 합니다. 다른 과목 또한, 제가 위에 설명해 드린 것처럼 진도가 다르니까 다니려는 학교의 이러한 정보를 잘 알아두세요. 만약 내가 듣는 과목이 내 레벨이 아닌 것 같으면 그 과목 선생님이나 counselor에 문의해서 어떻게 잘 조정해 볼 수 있어요. 하지만, 당연히 시험 성적은 항상 91~100을 유지해야 그게 가능해요.

간단한 시스템에 대해 이해가 되셨다면 이제 미국 학교의 바람직한 수업 태도로 넘어가 봅시다. 우리나라는 아시다시피 선생님께서 설명하시는 중간에 말을 끊고 질문하는 것에 대한 시선이 좋지 않습니다. 어디 버릇없이 말을 잘라먹고 자기 말만 하냐고 말이죠. 하지만, 미국은 그런 것이 없습니다.

 미국은 자기 의견을 적극적으로 말하고 수업 시간 질문을 환영하는 분위기입니다. 오히려 우리나라에서 하던 것처럼 조용히 앉아서 수업만 듣는다면 숫기 없고 열정 없는 학생으로 낙인찍힐 수 있습니다.
 그러니까 모르는 게 생기면 수업 시간에 손 들고 질문하세요. 선생님들께선 이런 학생들을 적극적이라고 좋아하십니다. 그렇지만 이게 결코 쉽지 않습니다. 적막을 깨뜨리고 다짜고짜 질문하기 두렵기 십상이죠. 그래서, 제가 다른 방법을 찾았습니다.

 수업 시간에 질문이 어렵다면 다른 시간에 질문하세요. 점심을 일찍 먹고 올라와서 질문을 한다든가, 아침에 일찍 학교에 도착해서 여쭤보는 방식도 있습니다.
 저는 처음 갔을 때 두려워서 일부러 점심시간에 여쭤

보았어요. 이 방법을 더 선호하는 미국 아이들도 많습니다. 아무도 없을 때 질문한다면 답변이 이해가 될 때까지 되물을 수도 있고 선생님께서도 자세히 설명해 주십니다. 그러니 수업에 대해 이해가 가지 않는다면 꼭 짚고 넘어가시는 것을 추천해 드립니다.

 한데, 수업 시간 질문 말고도 내가 이해도가 높다는 것을 증명해주는 또 다른 방법이 있을까요? 결론은 네, 있습니다. 바로 수업 시간 질문인데요. 그때 대답을 잘하시면 반 친구들에게도, 그리고 선생님께도 똑똑하다는 인식을 심어둘 수 있습니다.

 답을 안다고 해서 질문에 답을 안 하시면 안 됩니다. 왜냐하면, 답을 하지 않으면 정말 모르는 것으로 간주하거든요. 그러니까, 내가 답을 알고 있다, 그렇다면 꼭 정답을 외치세요. 그게 존재감을 드러내는 방법이기도 하고 여러 가지 이득이 있습니다.

 저는 수업 시간에 질문을 하는 것보다 이게 훨씬 더 쉬워서 대답할 수 있는 문제들은 대답하였어요. 결론은, 제가 앞서 말해드린 두 가지 방법 중 최소한 하나

라도 해보시길 바랍니다. 친구들도 훨씬 나에게 쉽게
다가옵니다.

04) 가장 걱정되는 일, 친구 사귀기에 대한 꿀팁 대방출

인종도, 말하는 언어마저 다른 아이들 사이에 잘 적응할 수 있을까요? 친구가 되기는커녕 외톨이로 1년을 보내게 되는 건 아닌지 저는 걱정이 참 많았습니다. 제가 낯을 가리고 할 말을 안 하고 넘어가고 속으로 앓는 소극적이고 답답한 성격이었어요. 친구 사귀는 데 시간이 걸려 좁고 깊게 사귀는 편이라 저 스스로 걱정이 많았어요. 미국에서 금방 친구들을 만들 수 있을지 고민이 가장 컸어요. 그래서 저도 제 나름의 마음고생을 많이 해봐서 여러분들은 저처럼 고생하지 마시라고 제가 어떻게 적응했는지에 관한 방법들을 빠짐없이 알려드리겠습니다.

솔직히 말하자면 미국에 가서 내성적이고 소극적이면 힘듭니다. 제가 겪어봐서 알죠. 물론 이러한 타고난 성격을 본인이 고치고자 노력한다면 커버가 되긴 합니다만, 아무래도 천성적인 걸 바꾸기 힘들어요. 저도 성격이 활발한 편은 아니어서 미국에서 성격 고치기 위해 노력 많이 했습니다. 미국으로 떠나기 전부터 조용한 제 성격이 맘에 들지 않았을뿐더러, 이 상태로 유학 가면 외로움만 느끼고 친구도 만들지 못한다는 말을 너무 많이 들었어요. 구체적인 방법은 없고 안 좋은 이야기들만 더 잘 들리던 시기였죠.

일단 학교 첫날, 먼저 말을 붙이면서 친구들을 만들었습니다. 반마다 친구들이 달라요. 일단 첫날은 주변에 앉은 학생한테 웃는 얼굴로 인사를 하세요. 자리도 중요해요. 한국도 마찬가지로 성실한 학생들은 선생님과 아이컨택이 잘 되는 곳에 앉아요. 저도 그 언저리에 앉아요. 그리고 인사를 정말 열심히 했어요. 무조건 웃으면서요. 성실한 친구들의 장점은 착하고 무엇을 물어보고 꼼꼼하게 대답을 해주는 것 같아요.

첫날의 저 같지 않은 모습으로 웃는 얼굴로 인사한 결과, 저는 미국에서 친구들과 함께해 즐거웠던 경험이 힘들었던 일들보다 훨씬 많았고 그로 인해 유학에 한 번 더 도전해 볼 용기가 생겼습니다. 성격이 적극적이지 못하면 적응이 힘들다는 말에 저는 공감을 매우 많이 합니다. 첫날에는 누구나 긴장되어 있기 때문에 학교에 가면 말을 붙여보시는 것을 추천해 드려요. 그래야 친구 사귀기도 쉽고 즐겁게 시간을 보낼 수 있어요. 미국은 수업마다 반 친구들이 바뀌기 때문에 매번 말을 붙이는 것이 힘들 수 있습니다.

제 케이스는, 호스트 맘께서 학교 선생님이셔서 학기 시작 전 거의 모든 수업을 같이 듣는 친구를 한 명 알아두었어요. 그래서 먼저 그 친구에게 말을 붙였어요. 첫날 점심시간에 같이 밥을 먹자고 물어봤어요. 거절할까 봐 걱정했는데 같이 먹자고 하면 대부분 거절은 안 해요. 그리고 자기 친구들에게 점심을 먹으며 소개해 주었어요. 그 친구들끼리 모르는 이야기를 하더라도 고개를 끄덕인다든지 리액션은 끊임없이 해줘야 다른 친구들도 저에게 관심을 가져요. 친구는 한 명으로만 의지하면 불상사가 생길 수 있어요. 그 친구의 친구들도 평소의 친구들처럼 자연스럽게 인사부터 시작해서 확장해 나가면 좋아요.

저는 처음 인사한 친구보다 나중에 만든 친구랑 성향

이 더 잘 맞았어요. 하나의 그룹을 만드는 것이 중요해요. 정말 다행하게도, 저는 운동클럽에서도 아주 잘 맞는 그룹을 만들었어요. 한번 자신감이 붙으니 인사하는 것도 친구 사귀는 것도 덜 부담스러웠어요. 친구 그룹 중 공부를 잘하겠다는 공통적인 목표도 있어서 서로 이끌어 주다 보니 학기를 마칠 즈음에는 저희 circle이 공부 잘하는 애들만 모여있다는 말도 들어봤어요. 엄청나게 큰 행운이었다고 생각합니다.

그리고 만약 방금 친해진 친구들이 주말에 모여서 어딘가를 간다거나 사적으로 모여서 논다고 하면 무조건 끼어드세요. 어색해도 친해지고 싶으면 그냥 끼는 수밖에 없습니다. 무조건 다 참가하세요.

제가 먼저 말을 붙여보라고 해서 아무한테나 묻지도 따지지도 않고 입을 열라는 소리는 아닙니다. 물론, 우리도 사람을 어느 정도 볼 줄 알아야 합니다. 친구 따라 강남 간다고, 친구 따라 모범생이 될 수도 있고 반대로 친구 따라 나란히 망할 수도 있습니다. 모든 애들이 좋지만은 않아요. 어느 정도 가려서 사귀어야 해요.

 그렇다면 어떻게 좋은 아이들과 친구가 될 수 있을까요? 이제부터 살펴보겠습니다. 물론, 아래의 기준들은 그저 제 기준일 뿐이고, 저는 완전하지 않기 때문에 제가 100% 맞는다는 건 아닙니다. 그저 제 생각을 기록해 둔 것일 뿐, 그게 다입니다.

● 친해지면 좋은 그룹

 NERD. 미드에 관심 있으시거나 하이틴물을 자주 보신다면 뜻을 아실 겁니다. 두 가지 뜻이 있는데, 바로 범생이와 속된 말로 일컫는 찐따입니다. 그리고 우리는 결코 후자의 부류와 친해지고 싶지 않습니다. 우리가 노릴 부류는 바로 너드 범생이들입니다. 하지만 왜 굳이 지루하고 재미없을 것 같은 그룹과 친구가 되는지 의아하시다면 그 궁금증을 지금 풀어드릴게요.

 우선, 이 친구들은 Vaping, 그리고 각종 유해한 것들과 거리가 멀다는 것이 큰 메리트로 작용하기 때문입니다. Vaping이 뭐냐면 전자담배입니다. 미국 대마, 그리고 특히 Vaping이 교내에서도 비밀리에 이루어지고 있을 확률이 높아요.

잘못된 그룹과 친구가 된다면 내 의지가 아니어도 유대관계를 형성하기 위해서 피우게 될 수도 있습니다. 누가 그런 것을 권유한다면 절대 하지 마세요. 더 이상 친구가 아니게 되더라도 하지 마세요. 하는 순간 중독되어 유학 생활 막장으로 치닫습니다. 걸리면 등교 정지당하고 심한 곳은 퇴학당해요.

참고로 저희 학교는 모조리 싹 다 걸리고 퇴학당하거나 등교정지 먹었습니다.

Nerd들은 공부에 관심이 많기 때문에 성적에 굉장히 민감한 면을 보입니다. 저를 포함한 제 친구들도 모조리 다 그랬습니다. 공부를 잘하는 친구들은 수업 시간에 대답을 많이 합니다. 그리고 가끔가다 선생님께서 순전한 리뷰 목적의 퀴즈를 내실 때도 있는데 매번 답을 맞추는 학생이 있다면 먼저 말 걸어서 친구 하시길 추천해 드립니다. 실제로 이렇게 친해졌던 친구도 있었는데 착하고 똑똑했었어요. 유머센스도 좋아서 재밌게

놀았네요. 오히려 더 빨리 친해지지 못해서 아쉬웠습니다.

　그리고 sport team에 들어가거나 어디 다른 activity를 참여해도 분명히 사시사철 눈이 오나 비가 오나 아주 성실하게 practice, 또는 class 한 번도 안 빠지고 열심히 하는 친구 있을 거예요. 제 베프가 그랬습니다. 운동을 정말 좋아해서 주말에도 산악자전거를 타고 다녀 정말로 근육량이 넘쳐났습니다. 키는 저보다 작았지만(필자의 키는 155cm), 그 친구랑 몸으로 싸웠다면 제가 일방적으로 맞고 나가떨어졌을 겁니다.

　중요한 것은 이 친구가 모든 것에 열심히 참여했고 성실했다는 거예요. 아무리 아프고 못 할 지경이라도 자기 할 건 열심히 했어요. 모든 과목에 정성을 쏟아부었어요.

　제가 말하고자 하는 건 무엇이든지 열심히, 그리고 꾸준히 하는 친구를 찾아보라는 말이에요. 말수가 없을 수도 있어요. 학업이 부족한 친구일 수도 있어요. 하지만 성실한 부류들은 꼭 있을 겁니다. 분명 내가 지쳐있을 때 옆에서 동기부여가 되어줄 수 있는 diligent 한 친구를 찾아보세요. 좋은 영향을 받을 거예요.

위 두 가지에 속하지 않는다고 나쁜 친구들인 건 아니니까 최대한 넓게 사귀어 보세요. 그저 제가 누구랑 재밌게 잘 어울렸냐 쓴 것뿐이니까 사람마다 다를 수 있다는 점! 그리고 마지막 꿀팁. 대부분 끼리끼리 친하니까 그 애가 어떤 친구들과 어울리는지 잘 봐두세요.

[미국에서 만난 절친들. 낯선 환경에서 외롭지 않게 버팀목이 되어준 친구들이 새삼 그립고 보고 싶어지네요.]

[G8을 마무리하는 졸업파티에 가기 전 친구 집에서]

[워싱턴박물관에서]

- 멀리해야 하는 그룹

 무조건, 대마나 Vaping 하는 애들은 멀어져야 해요. 개네들은 착하지 않아요. 하나같이 위험하니까 조심하세요. 하지만, 새 학교에서 그런 아이들을 어떻게 구별할지 막막하실 텐데요.

 우선 누군가 말을 걸어준다면 친구로 만든 다음에 만약 그 애가 학교 규정에 어긋나는 것들을 한다면 멀어지는 게 좋아요. 아이들도 누가 누구랑 친구고 선생님도 아시니까 개네랑 오래 붙어있으면 평판도 나빠질 수 있고 무엇보다 물들 확률이 높습니다.

 두 번째는 당연히 인종차별을 하는 애들입니다. 인종차별을 당하면 그 자리에서 바로 고쳐주세요. 너 이거 이렇게 말하면 오해의 소지가 있다. 특히나 유색인종인 내 앞에서 그런 말은 안 해줬으면 한다. 이렇게 말하세요. 왜냐하면 개네들도 아직 모르는 걸 수도 있어요. 하지만, 알려준 뒤에도 계속 그런 행동을 한다면 멀어지는 게 답이에요. 하는 애들, 대부분 아이들 사이에서 말이 많거나 shitty 하다고 인식된 아이들이니까 멀어져도 손해는 걔네지 우리가 아닙니다.

저도 미국 있을 때 공부는 외국인인 저보다 못하는데 동양인이라는 사실 가지고 그러던 애들은 잘난 게 없어서 하다 하다 미개하게 인종으로 간다고 생각했어요. 그리고 미국 내에서도 Racist(인종차별주의자)와 Homophobia(동성애 혐오)로 낙인찍히면 사회에서 매장되기 때문에 그런 행동을 하는 사람들이 이상한 거니까 기죽을 필요 없어요. 미국인들 사이에서도 똑같이 이상하다고 여겨집니다.

만약 누군가 알아듣지도 못하는 영어로 불쾌하게 한다면 당황해서 영어도 생각이 안 난다면 한국어로 받아치세요. 한번 고개 숙이면 계속 고개 숙이고 지내야 할 수도 있어요. '나 만만한 사람 아니야!'를 확실히 각인시켜 줘야 해요.

저는 크게 두 분류로 나누었습니다. 이 애들은 절대 좋지 않으니까, 친해지면 고생해요. 내가 누구와 친구가 되고 싶은지 잘 생각해 보고 그 애들에게 말을 걸어 보세요. 분명히 재미있게 1년을 보낼 수 있을 거예요.

그리고 웬만하면 학교 첫날에 최소한 한 명과 친구가 되는 것을 추천해 드려요. 그때가 제일 어려워 보여도 사실상 모두가 긴장된 상태로 제일 쉬운 날이니까 그날 말 걸어보세요. 점심 같이 먹을 사람은 있는 거니까 외롭지 않아요.

친구가 아무도 없으면 그 많은 테이블 중 하나를 혼자 차지한 뒤 먹는 불상사가 발생할 수 있어요. 만약 같이 먹을 친구가 없더라도 그냥 앉아서 점심 드세요. 혼자만 친구 없을 일은 없습니다. 또, 친구가 점심 초대를 해주지 않는다면 기죽지 말고 "점심 같이 먹을래?", "나 여기 앉아도 되지?" 하고 물어보세요. 하지만 꼭 여유를 가지세요. 여유 있는 것과 없는 것의 차이는 확연하게 눈에 띄는 것 같아요.

05) 경험자가 100% 보장하는 과목별 성적 잘 받
    는 법

 내신도 큰 걱정 중 하나인데요, 열심히 노력만 하면
잘 받을 수 있다는 말을 해드리고 싶어요. 그저 내 시
간과 노력을 조금 더 효율적으로 쏟아부을 수 있는 방
법을 알려드리는 것뿐입니다.

수학

1. 한국 선행 진도

- 적어도 한국 중3 수학까지는 끝내고 가는 걸 추천
- 시간적 여유나 능력이 있다면 할 수 있는 만큼 선행
  (선행 과정을 잘 따라오지 못할 경우는 선행 X)
- 너~무 어려운 난이도의 수학 선행은 그다지 도움되
  지 않음
- 저는 개념원리로 기본적인 걸 풀고 그 다음 미국 사

이트에서 공부

- AMC 문제 풀어 보기

2. 미국에서 수학 실력을 늘릴 수 있는 사이트 추천

- IXL
- Khan Academy
- AOPS (Art of Problem Solving)
- 추가로 한국 문제집을 가져다 풀어도 좋다.

3. 공부 팁

- 한국 수학을 잘해가면 미국 수학은 상대적으로 수월함
- 헷갈리는 개념이 있을 때는 짚고 넘어가자
- 영어로 된 수학 용어 개념 확실히 알기

이렇게 정리해 보았습니다. 수학은 저에게 정말 수월한 과목이었어요. 새로 배우는 개념은 제가 추천해 드린 사이트 혹은 유튜브 영상을 통해 복습을 해두니 편했습니다. 제가 선행은 중3까지라고 말씀드렸는데 사실은 할 수 있는 곳까지 하는 게 맞습니다. 하지만 내가 이해하지 못할 만큼 배울 필요는 없고 이해가 되는 선에서 선행하시는 걸 추천해 드립니다. 이해가 안 되면 무용지물이에요.

IXL은 제가 도움을 참 많이 받았던 사이트입니다. 수학 말고도 다른 과목들이 과목별로 지원이 되니 한 번쯤 해보시는 것도 나쁘지 않은 선택이에요. 개념을 까먹었을 때와 같은 난감한 시츄에이션에 도움이 많이 되었어요. Khan Academy는 여러분 모두 아실만 한 사이트입니다. 앱도 다운로드 할 수 있고 유튜브에 이 그대로 쳐보면 영상이 나옵니다. 쉽고 빠르게 이해시켜 주는 칸 아카데미도 유튜브로 많이 찾아보았어요. 이게 맘에 들지 않으신다면 유튜브로 언제든지 다른 영상을 찾아보세요. 아무것도 안 하는 것보다는 훨씬 낫습니다.

 한국 문제집을 가져다 풀어도 좋지만, 장기 유학을 원하신다면 문제가 영어로 된 경시 문제집을 푸는 것도 좋은 선택입니다. 미국이라고 해서 경시 문제가 쉬운 것은 아니니 한번 풀어보세요. 그리고 영어로 된 수학 개념을 알아두는 게 중요한 게, 외국은 우리나라처럼 수에 관련된 문제만 내는 게 아닌 개념에 대한 문제도 내니까 잘 알아두세요.

영어

1. 주로 나오는 과제

- Essay 에세이
- 책 읽은 후 시험
- 책에 관해 자기 생각을 써보기

2. 한국에서 해가야 할 영어

- 영어책 다독하기
- 단어 많이 외우기(동의어)
- 문법, 스피킹, 리딩, 라이팅

3. 공부 팁

- 책 많이 읽기
- 단어 외우기

저는 영어가 제일 노력을 많이 필요로 했던 과목이라고 생각합니다. 주로 나오는 과제부터 남다른 정성이 필요합니다. 특히나 저희 같은 유학생들한테는요. 가장 골때리고 힘들었던 과제는 essay였습니다.

작문은 여러 스킬, 그리고 지식이 필요해서 시간도 오래 걸리고 힘들었어요. 그래서 한국에서 TOEFL 공부를 하기 잘했다고 생각합니다. 토플 공부를 하면서 에세이 실력을 늘렸기에 그나마 괜찮은 점수를 받았던 것 같거든요. 토플 양식대로 계속 기계적으로 쓰다 보면 그 양식이 머릿속에 남고 결국에는 쓸데가 많아요. 그래서 제가 앞서 말한 토플이나 SSAT 공부를 지속적으로 해두면 편하고 좋습니다. 저희 학교 같은 경우에는 사회든 영어든 에세이 배점이 정말로 컸기 때문에 그 점수 하나에 따라 평균이 출렁거렸습니다.

제가 한국에서 못해간 것 중에 후회한 것이 SSAT 단어를 집중적으로 공부한 적이 없는 것입니다. 토플과는 또 다른 학업 능력은 에세이를 쓰기 위해서는 고급 단어를 많이 알아야 해요. 고급 단어량이 부족했던 저는 하나하나 동의어 찾아보면서 에세이를 써야 했어요. 동의어를 참 많이 알아야 해요. 똑같은 단어를 계속 이용하면 안 돼서 동의어 때문에 죽는 줄 알았어요. 제 작문 시간의 반은 아마 얘가 잡아먹었겠죠. 이게 시간도 더 필요한 작업이다 보니 힘이 들 수밖에 없고요.

단어량을 늘리는 법은, 단어를 미친 듯이 외우는 법도 있지만 저만큼 나이가 어리신 분이라면 책을 읽는 것을 추천해 드려요. 저는 무지하게 후회되더라고요. 영어 숙제와 달리 영어책을 시간 내서 읽지를 못하다 보니 당연히 시간도 배로 걸리고 흥미는 빠르게 잃습니다. 저희 엄마께서 어릴 때부터 한국 책만큼 영어책을 읽으라고 잔소리하셨는데 그때 읽지 않은 업보를 지금 톡톡히 돌려받는 중이에요. 학교에서 책을 읽고 그것에 대한 숙제를 주거나 문제를 푸는 수업이 많았는데 너무 힘들었어요. 한국 책은 제가 정말 잘 읽고 너무 좋아하는데 영어책은 그만큼 미치지 못하니깐 저 스스로 너무 답답하더라고요.

그러니까, 책을 읽어야 해요. 어려워도 그냥 읽어야 느는 것 같아요. 비문학이 너무 어렵다면 fiction을 읽어도 상관없으니까 차츰 레벨을 올려야 읽는 시간도 빨라지고 흥미를 붙입니다. 나중에 배우면 어렵든 뭐하든 강제로 비문학부터 시작해야 하니까 어릴 때 책을 읽으세요. 제가 어릴 때부터 영어책을 한국 책처럼 읽었더라면 토플 점수는 물론 SSAT 점수도 더 높게 나왔을 거예요. 단어량도 지금과는 비교가 안 되게 많았겠죠.

문법도 참 중요한 게 저는 에세이 배점 깎인 부문을 살펴보면 다 문법이어서 참 아쉬웠어요. 문법이 조금만 더 완벽했더라면 점수가 최상으로 나왔을 텐데 그 한계를 돌파하지 못한 게 슬프네요. 짜임새나 내용도 아니고 고작 문법이었는데…문법 공부하면 좋습니다. 일단 사람이 유식해 보일뿐더러 영어에 서툴다는 인상이 사라지죠. 에세이 쓸 때 빛을 발하니까 문법 재미없고 어렵다고 멀리하지 마시고 공부하세요.

Tip) 진학할 학교의 홈페이지를 보면 학년별 방학 독서 목록이 있어요. 그 독서 목록을 기준으로 책을 접하면 좋아요.

사회

1. 주로 나오는 과제

- Essay 에세이
- 단원평가
- 지문을 읽고 서술형 질문에 답해오기

2. 한국 선행 진도

- 미국에 대한 상식들 알아 오면 이해가 빠르다.
- American History에 대한 책 읽기

3. 공부 팁

- 필기 노트/교과서는 그날그날 복습하기! (시험 범위가 넓다)
- 미국 역사를 알고 있다면 도움 됨
- 디테일이 정말 중요하다.

사회는 영어 다음으로 에세이 과제가 많이 나오는 과목입니다. 하지만, 내 주관적인 생각이 대부분인 영어 과목과는 달리 사회는 사실을 기반으로 정리하고 내 생각은 조금만 포함하면 돼서 저는 영어보다는 사회가 더 쉬웠어요. 그리고 퀴즈와 단원평가가 허구한 날 나오는데 이래서 평소에 공부를 잘 해둬야 합니다. 닥쳐서 공부하면 답이 없어요. 실제로 4일 동안 시험이 6개가 몽땅 나와서 애들이 죽어 나갔던 적이 있어요.

한국 선행을 하고 싶으시다면 미국사, 그리고 세계사에 관한 책을 읽는 것도 나쁘지 않습니다. 미국 아이들이 기본적으로 가지고 있는 상식 등을 우리는 모르기 때문에 기본 틀과 대략 어떤 일이 일어났는지에 관한 책을 읽어보세요. 기본이라도 꼭 알아가세요. 디테일은 어차피 학교에서 뭘 어떻게 적으라는 등등 다 알려주기 때문에 큰 걱정하지 마세요. 미국 교과는 학년이 갈수록 심화하여 나오기 때문에 초등고학년에 맞춘 미국사나 세계사부터 차츰 단계를 높여 읽는 것이 중요해요. 자기 학년 수준의 미국사나 세계사까지 꼭 읽어가세요.

과학

1. 주로 나오는 과제

- 학교 수업과 연관된 문제 풀기
- 과학 이론과 관련된 실험

2. 한국 선행 진도

- 배우는 게 다르기 때문에 중학교는 딱히 선행하지 않아도 따라 할 수 있다. 보통 biology를 배우기 때문.
- 화학, 물리는 고등까지 선행해두면 나중에 도움 될 확률이 높다.

3. 공부 팁

- 필기 노트/교과서 매일매일 복습
- 과학 특성상 이해 안 갈 때가 많으니, 선생님께 도움 요청
- 인터넷에 강의 찾아 듣기

과학도 어려운 과목 중 하나입니다. 오직 암기로만 구성되어 있다는 점이 그렇죠. 숙제도 절대 쉽지만은 않고(체감상 가장 어려웠음), 단원평가라도 보는 날에는 일주일 전부터 필기 노트만 붙잡고 있었던 것 같아요. 하지만, 동시에 제가 가장 좋아하는 과목이기도 했습니다. 내용이 흥미로웠고 지루하지 않았다는 점!

 저는 한국에서 중학교 화학과 물리를 다 배우고 갔는데 막상 biology를 배워서 쓸 일은 없었어요. 하지만 9학년에 chemistry 또는 physics를 배우게 될 수도 있으니 열심히 하려고요. 가려는 학년에 따라 선행 진도가 달라져서 뭐라 말할 수는 없지만 될 수 있다면 하고 가는 것이 좋다고 생각합니다. 알아서 나쁠 거 없어요.

 저는 과학에 이해가 가지 않는 것들이 많아서 그때마다 선생님께 도움을 요청했어요. 다른 과목도 그렇지만 특히나 과학은 질의응답이 꼭 필요합니다. 사소한 거 하나라도 모른다면 시험에서 더 큰 위험을 안고 가야 합니다. 그러니까, 잘 이해가 가지 않는 것이 있다면 꼭 선생님께 여쭤보세요. 명확한 설명을 해주시니까 참 도움이 많이 됩니다.

 선생님의 설명마저 이해가 가지 않으신다면 인터넷으로 설명을 찾아 들으세요. 저는 특정한 계산이 필요한 분야에서 헤맨 적이 있어서 그런 일이 닥칠 때 유튜브 설명 영상을 찾았어요. 저희 학교 선생님께서 항상 틀어주시던 영상이 있었는데 여기서 공개하겠습니다. 바로 유튜브에 있는 'Amoeba Sisters'입니다. 과학 설명 채널인데 귀여운 그림과 함께 잘 설명했어요. 학교 다니실 때 이해 안 되시면 찾아보세요. 대충 분홍색과 보라색 슬라임 같은 것들이 설명하는 채널인데 워낙 유명해서 금방 찾으실 거예요. IXL은 과학도 있으니, 그것도 유용하게 이용할 수 있습니다.

제3외국어

1. 주로 나오는 과제

- 스페인어 문제 풀이
- 영어 / 스페인어 번역

2. 한국 선행 진도

- 원래 할 줄 아는 거 아니면 가서 배우기(선행 불필요)
- 영어와 비슷해 체감 난이도가 프랑스어보다 쉽다.

3. 공부 팁

- 필기 노트 암기
- 문법 등등 초반에 기초를 단단히 잡아두기
- 단어 외우기
- 처음 영어를 배울 때와 방법이 같다.

  우리 학교는 스페인어와 프랑스이를 지원해 줬습니다. 저는 스페인어가 영어만 잘하면 쉽다는 말을 듣고 신청했는데 정말 쉬웠어요. 공부법은 처음 영어를 배울 때와 비슷하고 선행을 꼭 해야 했다는 압박감은 못 느꼈던 것 같아요. 미국 가서 잘만 해도 되기 때문에 차라리 다른 걸 선행을 하는 게 낫다고 봅니다. 하지만 기초를 초반에 단단히 잡아두는 과정은 나중에 편하게 배우기 위해서 필요하니 잘 공부해 두세요. 외국인 학생 같은 경우는 제3외국어를 한다면 엄청난 메리트가 됩니다.

이쯤에서 정말 중요한 것 하나를 짚고 넘어가겠습니다. 시험공부는 어떻게 해야 성적을 잘 받을 수 있을까요? 시험 성적은 다름 아닌 꾸준함에 달려있습니다. 이것도 저만의 방법이 있는데요, 그 비결은 다름 아닌 '복습'입니다. 선행만큼 신경을 많이 써야 하는 것이 복습인데요, 왜 복습해야 하느냐면 시간이 부족하기 때문입니다. 시험공부를 하다 보면 몇 장 공부하지도 않았는데 몇 시간이 순식간에 사라지는 괴현상을 마주할 수 있습니다. 그렇게 잠과 싸워가면서 꾸역꾸역 지식을 밀어 넣은 뒤 시험을 보면 성적은 잘 나오지 않습니다. 몇 번은 그럴 수 있어요. 하지만 모든 시험을 이런 식으로 보신다면 GPA가 슬슬 내려갈 거예요.

이것을 방지하기 위해 저는 매일 필기 노트를 들고 와 집에서 공부했습니다. 한 번씩 go over 하신다면 갑작스러운 쪽지 시험에서 좋은 성과를 거둘 수도 있습니다. 이해 안 가시는 것들은 위에서 설명해 드린 대로 과목별 유명한 사이트나 강의를 찾아 듣는 것이 적합합니다.

Overall

제가 이렇게 설명을 해드렸는데요, 솔직히 어려워 보이지 않나요? 하지만 막상 가신다면 생각이 바뀔 거예요. 꼭 제가 설명해 드린 방식이 아니더라도 나만의 방법을 찾으면 공부는 어느 정도 해결이니까 너무 긴장하지 마세요.

한국에서 하던 방식 그대로 따라 하거나 조금 더 조정해서 나에게 적절한 계획을 세우고 공부하는 것이 목표니까 천천히 꾸준히 따라 해보세요! 내가 무엇이 부족한지를 객관적으로 판단해 보고, 그것을 극복하기 위한 계획을 세워봅시다.

개인적으로 스케줄러 정말 추천해요! 원래 잘 안 썼는데 '아, 시간 관리 잘못하면 망하겠다.' 이 생각 든 순간 플래너를 매일매일 썼더니 그때부터는 습관이 조금씩 잡히는 것 같더라고요. 자기한테 맞는 습관을 찾는 것이 꼭 필요합니다.

06) 일부 학생들에게만 주는, 수상하면 크게 도움
    되는 President's Education Awards(미 대통령
    상)는 무엇일까?

 President Education Awards는 미국 대통령 사인이
들어간 상장으로, 교내에서 공부를 잘하는 학생에게 주
는 상이에요. 내신 외 학생의 품행, PSAT 공식 점수,
매 쿼터의 성적 등 종합적으로 반영되어요. 우리 학교
는 각 과목 선생님의 추천도 있어야 해요.
 학교마다 주는 곳도 있고 주지 않는 곳도 있지만 저희
학교는 주었습니다.
 우리 학교 G8 학년은 약 120명 정도로 구성되어 있
었는데 받은 사람은 저 포함 10명이 채 안 되었어요.
Transcript에 정말 좋게 쓰이고 이건 나중에 큰 도움이
됩니다. 공부 열심히 하고 시험 잘 보다 보면 여러분도
받을 수 있습니다! 막상 받아보면 정말 뿌듯하고 보람
차니까 노력해 보세요. 대통령상 사인이 들어간 상을
아무나 받을 수 있는 건 아니잖아요.

THE PRESIDENT`S EDUCATION AWARDS PROGRAM

 1983년에 설립된 대통령상은 교육상 프로그램으로 초등학교, 중학교, 고등학생들의 학업성취와 노고에 대해 경의를 표합니다.

 이 프로그램은 대통령과 교육부 장관으로부터 미국에서의 뛰어난 노력으로 도전적인 우수성 기준을 충족할 수 있게 해준 학생들에게 개인적인 상으로 인정된다.

President's Education Awards Program

presented to

HARIN OH

in recognition of

Outstanding Academic Excellence

2023

U.S. Secretary of Education

President of the United States

Principal

Aquinas Institute

School

[미 대통령상. 제가 미국 대통령 사인이 들어간 상을 받을 줄은 꿈에 생각을 못했어요. 일 년을 야무지게 보낸 것 같아 제 스스로 너무 자랑스러웠습니다. 23.06.17]

기준

 저희 중학교는 GPA가 100점 만점으로 표시가 되었습니다. 저는 내신이 높은 편이었어요. 1년 내내 평균 내신이 96 이상이었습니다. 시간이 지날수록 실력이 느는 것이 보여서 정말 기뻤어요. 96.4 정도에서 후반에는 98점까지 올라가 동기부여가 되었어요.

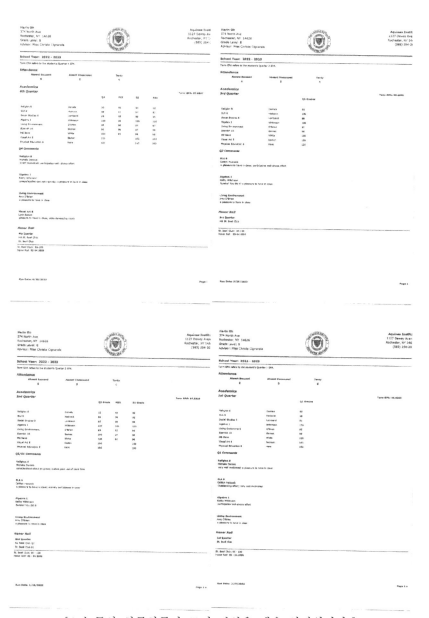

[1년 동안 하루하루가 모여 결실을 맺은 성적입니다.]

[학교에서 한 쿼터당 95점 이상의 GPA를 받은 학생들에게 주는 명예뱃지입니다. 바실클럽 친구들은 교장선생님과 함께 하는 아침 조찬에 초대됩니다. 우리 학교의 전통이죠.]

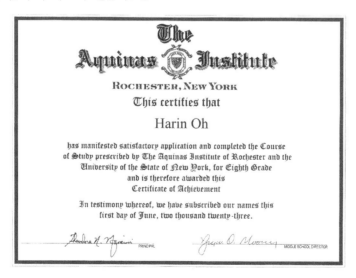

[G8 졸업장. 1년이 번개 치듯 지났어요. 23.06.17]

[부모님은 영상으로 참석하셨지만 내 일처럼 기뻐하는 호스트 가정과 친구들 덕분에 즐거운 졸업식이 되었어요. 졸업식 시상식. 23.06.17]

07) 시간 낭비는 스톱! 나 스스로 지키는 효율적인 시간 활용법

거짓말 하나 보태지 않고 말하겠습니다. 누군가가 저에게 공부를 방해하는 가장 큰 걸림돌이 무엇이냐 하고 묻는다면 저는 당장 시간 관리라고 말할 것 같습니다. 사실, 저도 유학하러 가기 전에는 시간 관리를 못 해 숙제의 늪에서 허우적대며 겨우 시간 맞춰 숙제를 낸 적이 많습니다. 그만큼 계획적이지 못했던 저이지만 이제는 말할 수 있습니다. 나는 시간 관리를 어느 정도 할 줄 안다고요. 제가 어떻게 이런 능력을 얻었는지 지금부터 소개해 드리겠습니다.

저는 사실 제가 납득하지 못하면 그것의 필요성을 느끼지 못하는, 극한의 고집쟁이입니다.
'굳이?'
제가 가장 많이 머릿속으로 생각하는 단어겠네요. 내가 굳이 이것을 해야 하나? 내가 왜 해야 하지? 이런 의문들이 하나둘 머릿속을 어지럽히는 순간 저는 흥미를 잃어버립니다. 제가 의도한 게 아니어도 대충 설렁설렁하게 되더라고요. 하지만 저는 유학을 갔을 때 저의 이런 습성이 화를 불러일으킨다는 것을 몸으로 체험하며 느꼈습니다. 제가 막 유학하러 갔을 때 시간 관리에 대해 어떻게 생각했는지는 아래와 같습니다.

'아니, 시간 관리 안 해도 학교 숙제 잘만 하고 좋은 점수 받는데 내가 굳이 할 필요가 있나?'

그리고 정확히 3달 후, 저는 스케줄러를 제 크리스마스 위시리스트에 올렸습니다. 스케줄러만큼 쓸모없는 것도 없다고 생각했던 인간이 단 3달 사이에 이렇게 바뀌어버렸어요. 사건의 전말은 이렇습니다.

제가 미국에 막 도착해서 정신없이 학교 숙제를 하고 학교 시험을 준비하고 있을 때, 저는 문득 깨달았습니다.

'어라, 나 이렇게 숙제만 하고 있어도 되는 건가? 이

런데 시간을 다 써버리면 진짜 공부는 언제 하지?'

 저희 엄마께서 항상 하시던 말씀이 있습니다. 학교 과제는 진정한 공부가 아니라는 말씀. 공부는 스스로 부족한 걸 보완하며 혼자서 하는 게 공부지 학원이나 학교에서 일방적인 교육은 공부하는 게 아니라고 하셨던 게 어렴풋이 떠오르자 저는 무척이나 공허해졌습니다.

 '나는 그동안 공부도 아닌 무엇을 하고 있던 걸까? 나는 미국에서 진정으로 한 것이 뭐가 있지?'

 제가 아무것도 하지 않고 시간을 낭비하고 있었다는 사실에 밀물이 밀려오듯이 훅 다가왔어요. 누군가를 탓할 수도 없었습니다. 온전한 제 책임이었으니까요. 놀거 다 놀고, 잠은 그 와중에 많이 자고, 휴대폰은 꼬박꼬박하고. 내가 심연을 들여다볼수록 심연도 나를 들여다본다는 말이 있던가요. 저는 제 자신의 심연을 적나라하게 보고 말았습니다. 과거의 저는, 당시의 저에게 이렇게 말하는 것 같았습니다.

'넌 그동안 한 게 뭐니?'

대답할 수 없었어요. 제가 할 수 있는 것은 미래를 바꾸는 것뿐, 과거로 돌아가 저 자신에게 손찌검해 억지로라도 버릇을 고칠 수도 없는 노릇이었으니까요. 그래서 저는 스케줄러를 써보기로 다짐했어요. 이대로 가다가는 번데기 상태로 영원히 머물러 있을 것 같았거든요.

그건 정말 신의 한 수 였어요. 스케줄러는 술술 쓰였고 저는 확실히 더 나은 제가 되었습니다. 나에게 맞는 공부 습관을 알고, 어떻게 해야 시간을 단축해 공부까지 할 수 있는지 알게 되었어요. 착실하게 매일매일 기록했던 것이 헛되지 않았던 거예요.

여기까지 제가 어떻게 동기부여를 받았는지에 대한 자세한 서술이었습니다.
이제부터 저의 하루 루틴을 설명해 보겠습니다.

우선, 아침에 일어납니다. 호스트 맘께서 6시에 깨워

주시면 저는 그때부터 학교 갈 준비를 했습니다. 너무 추워서 이불 속에 기본 10분은 웅크려 있다가 그제야 옷을 입었던 것이 기억나네요. 언젠가 그러다가 6시 50분이 될 때까지 잠을 더 자버려서 민폐를 끼쳤던 것도 생각납니다. 어쨌든, 아침을 먹고 준비하고, 이것저것 하다 보면 7시가 되어 집을 떠납니다.

8시부터 3시까지 학교 수업을 한 뒤 5시 30분까지 스포츠를 했어요. 가을에는 배구, 봄에는 소프트볼. 겨울에는 그냥 집으로 와서 공부를 시작했네요.

스포츠를 하지 않았을 경우에는 3시 30분까지 집으로 와서 1시간 동안 바이올린 연습을 했어요. 4시 30분부터는 연습하면서 조금 휴식을 취했으니, 그때부터 공부를 시작했습니다. 학교 숙제를 학교에서 끝내지 못해 조금 남아있다면 그것을 어떻게든 30분 이내에 끝냅시다.

숙제를 끝마쳤다면 그때부터 본격적으로 공부를 시작합니다. 수학과 영어의 요일을 정해 공부했어요. SSAT

문제집도 풀고, 인강을 들으며 한국 진도를 따라가거나 학교에서 배운 것을 복습하며 시간을 보내다 보면 어느새 저녁 식사할 시간이 됩니다.

맛있게 저녁을 먹으며 1시간 동안 호스트 맘과 얘기도 하고 개밥도 주고 바로 샤워를 해요. 저는 머리 말리는데 30분 이상이 소요되어 샤워 시간을 1시간 정도로 잡았어요. 여러분은 저보다 시간이 덜 걸리실 테니 조금 더 여유 있으실 겁니다. 이렇게 샤워를 끝내면 시계는 10시를 가리킵니다.

이때부터 소등하는 시간이기 때문에 더는 공부할 수 없었지만 저는 제 방에서 필기 노트를 다시 읽어봤어요. 특히, 사회와 과학은 더욱 집중해서 읽었습니다. 그리고 자기 전 독서하고, 가족에게 전화하고, 유튜브 영상 좀 올리고, 조금 휴식하다 보면 12시! 그때 자지 않는다면 다음날의 제가 무진장 고통받는다는 것을 알기에 무조건 잤습니다.

시험 기간에는 조금 달랐는데요, 시험이 일주일에 6개씩 있는 주가 있었는데, 그때는 공부를 아예 내려놓고 시험공부만 죽어라 했어요. 가장 중요한 건 내신이니까요. 하지만 평상시 필기 노트를 다시 복습한 덕에 훨씬 좋은 성과를 낼 수 있었습니다. 필기 노트를 매일 복습해야겠다고 마음먹을 때는 제가 과학시험만 공부하는데 4일을 날려버린 뒤 알게 된 결과니 제발 믿어주세요. 여러분은 피눈물 덜 흘리시라고 여기서 다 말합니다. 저처럼 자세히 알려주는 사람은 찾기 어렵기 때문에, 제가 너무 정석적인 법만 말한다고 해도 경험에서 나온 거로 생각해 주세요. 정석이 괜히 정석이 아닙니다.

반대로, 제 이러한 공부법을 지킨 결과, 제가 이득을 보았을 때도 있었습니다. 그것은 바로 사회 기말이었습니다. 그때 사회 선생님께서 몇 가지 내용은 필요 없다고 공부하지 말라고 그러셨습니다. 그래서 모두 선생님 말씀만 믿고 그것들은 빼고 공부했는데요. 결국, 시험에는 그것에 관련된 문제가 반 이상 나와서 전 학년이 난리 쳤던 기억이 있습니다.

하지만 저는 평상시에 그 부분까지 노트필기 한 것을 보아왔기에 기억을 되짚어 좋은 성과를 낼 수 있었습니다. 제가 그동안 힘들게 몇 배로 공부했던 게 드디어 빛을 발해서 너무나 자랑스러웠어요. 결국 사회 기말은 98점 받았어요.

필승 전략 : 이것만 지키면 쉽다!

지금까지 열심히 설명했지만, 막상 해보려고 하면 번번이 실패합니다. 왜 그럴까요? 사람마다 답은 모두 달라서 제가 말씀드릴 방도는 없습니다. 하지만, 이렇게 설명해 드리지 않는다면 제가 이 책을 집필한 의미가 없었겠죠. 제가 다 알지는 못하기 때문에 정확한 원인은 모르지만, 십중팔구 유용한 전략을 설명해 드리겠습니다.

기본부터 설명해 볼까요? 저는 집에서는 공부만 해야 한다고 생각합니다. 숙제 말고, 공부요! 하지만 집에서 숙제 안 하면 어디서 숙제하나 싶으실 텐데 정답은 아주 가까이 있습니다. 바로 학교입니다. 점심시간이 저희의 핵심인데요. 그 시간을 유용하게 사용할 줄 안다면 시간 관리의 반은 할 줄 아는 겁니다.

시간 관리 꿀팁 1번 : 집에 숙제 들고 오지 말기!

 말 그대로 숙제를 학교에서 빨리 끝낸 뒤 집으로 돌아와 필요한 공부를 하는 전략인데요, 학교 숙제가 몇 시간씩 요구하는 에세이가 아닌 이상 웬만한 것들은 점심 빨리 먹고 끝내버리세요.

 이게 처음만 힘들지, 일주일만 계속 해도 몸에 배요. 적응되면 숙제하는 시간도 빨라지고 시간을 효율적으로 쓴다는 사실과 집에 가서 쪼들리며 숙제하지 않아도 된다는 사실에 기분이 좋아지실 거예요. 이 기분에 취해서 계속하게 됩니다.

 숙제를 학교에서 끝내고 하교한 뒤 집에 가서 쉰다면 정말 그것만큼 편안한 것이 없습니다. 학교 적응 기간부터 시작하란 소리가 아니고 어느 정도 적응이 되고 친구도 사귀었다 싶으면 도전해 보세요. 걱정거리가 없으니까, 마음도 평화롭고 사람 자체가 여유로워집니다.

시간 관리 꿀팁 2번 : 울타리를 세워보자!

1번을 섭렵하신 여러분 목표까지 반은 오셨습니다. 하지만, 지금부터가 어려운 법. 그렇기에 제가 더욱 세부적인 설명을 해드리겠습니다. 울타리를 세워보자는 말이 무슨 의미일까요?

A. 큰 틀을 잡아보자.
B. 울타리를 지어보자.
C. 남들이 뭐라 하든 나만의 울타리를 세워 열심히 공부하자.
D. 나는 귀엽다.

정답은 A입니다! 제가 말하는 울타리는 틀의 느낌으로, 대략적이게 무엇이 목표고 무엇을 어떻게 공부할 것인지를 세우는 과정입니다.

- 목표는 무엇인가?
- 기간은 얼마나 잡을 것인가?
- 무엇을 공부해야 하는가?
- 어떻게 공부해야 하는가?
- 내가 무엇이 부족한가?
- 학교 과제를 끝마치는데 대충 얼마 정도 걸리는가?

여러분들의 답을 적어 계획을 세워봅니다.
예시) 난 학교가 끝나고 집에 돌아오면 문제집을 풀고,
      수학 인터넷강의도 들어야지.

시간 관리 꿀팁 3번 : 시간을 조각내어 조금 더 세
                부적인 계획 세우기

 큰 틀을 세웠다면 이제부터는 시간을 만들어야 합니다. 학교가 몇 시부터 몇 시인지 확인하고, 그다음부터 몇 시간 동안 어떠한 것을 할 건지 정해보는 시간이에요!

예시) 4시부터 6시까지 문제집을 풀어야지. 단어는 2시간 안에 16페이지까지 외우는 거야. 그다음 저녁을 1시간 동안 먹고 샤워를 한 뒤 남은 2시간 동안은 수학 인강을 들어야겠다.

저는 이러한 방식으로 시간활용을 알차게 했습니다. 이렇게 나열해 보니 그렇게까지 세세하지는 않은 것 같은데요, 제가 이렇게 시간 활용을 할 수 있었던 이유는 저의 원동력 때문이었습니다. 시동을 켜야 자동차 바퀴가 굴러갑니다. 시동이 꺼진 자동차를 아무리 밀어봤자 억지로 밀려지거나 앞으로 나가는 듯해도 멀리 나가지는 못합니다. 나만 힘들어질 뿐. 그러니까 시동을 키는 것을 두려워하지 말고 일단 해보세요!

시간 관리 꿀팁 4번 : 복습의 중요성

저는 몰랐습니다. 왜 복습이 중요한지를요. 복습 안 해도 시험 점수 괜찮은데 그냥 벼락치기가 낫지 않으냐

하신다면 절대 아닙니다. 물론, 벼락치기 나쁘지 않아요. 우리 모두 시험 며칠 전에 집중력을 극한으로 끌어올려 머릿속에서 삭제되어 버린 지식을 다시 욱여넣는 데 도가 텄기 때문에 그냥 벼락치기로 하루하루 연명할 수 없나 생각하게 됩니다. 저도 그랬어요.

하지만, 절대 사실이 아닙니다. 물 급하게 마시면 사레들리잖아요? 벼락치기 잘못하면 사레들리는 수준이 아니라 피 토합니다. 경험담입니다. 그때만 생각하면 아직도 등골이 섬찟하네요.

날씨 좋은 가을날이었습니다. 미국에 막 도착한 저는 첫 과학시험을 앞둔 상태로 책상 위에 앉아있었습니다. 내일모레가 시험 날이었지만 당시의 저는 벼락치기 맹신론자인 상태였기에, 별다른 걱정하지 않았습니다. 진심 어린 걱정을 그저 기우라고 치부하면서 모든 것을 외면하고 하루하루 미뤄왔었죠.

그리고 시험 이틀 전, 지옥의 벼락치기를 시작했지만 제 예상과는 다르게 결과는 처참했습니다. 범위가 너무 광범위한 나머지 아무리 읽고 또 읽어도 끝이 안 나더

군요. 마음은 마음대로 불안해 집중하지도 못하겠다는 와중에 끝나지 않는 시험 범위는 지난날에 대해 후회만 하게 만들 뿐이었습니다.

결국 저는 시험에서 80점대의 낮은 점수를 받았습니다. 정말 속이 상해 시무룩해져 있었어요. 저 점수 만회하려고 과학시험 100점 받기 위해 노력했어요. 점수는 평균 점수로 올라가거든요. 이로 인해 저는 제 문제점이 뭔지 잘 알게 되었고 그 커다란 구멍을 고치기 위한 노력을 해봤습니다. 앞에서 말씀드린 대로 시간표를 쓰는 것부터 시작해 보니 훨씬 수월했어요. 머릿속에만 정리해 두면 실행이 안 되더라고요. 꼭 종이에다 적은 뒤 시작해야 계획을 지킬 확률이 훨씬 높아집니다.

다들 집에 하나씩 안 쓰는 다이어리 있으실 텐데요. 지금이라도 꺼내서 새로 시작해 보는 건 어떤가요? 게으름뱅이였던 저도 했는데 여러분께서 못할 리가 없어요.

08) 가장 어려웠던 과목과 보완 방법

어딜 가나 가장 자신 없는 건 존재하기 마련이죠. 저에게는 당연히, 영어였습니다. 영어를 써가며 살아가는 게 쉽지 않다는 것을 느꼈어요. 솔직히, 한국에서는 제가 영어는 조금 한다고 생각했는데, 미국으로 유학을 떠났던 순간, 완전한 신세계가 펼쳐진 거예요. 실생활에서 쓰는 영어도 다르고, 그러다 보니까 영어가 자연스레 어려워지더라고요. 학교 영어는 대부분 literary elements나 책 읽고 그랬는데 책 읽는 속도가 남들보다 세배는 느려서 제가 좋아하던 독서가 버겁게 느껴질 때가 종종 있더라고요. 글 쓰는 과제나 수업 시간에 discussion 할 때도 다른 과목에 비해 현저하게 어려움을 겪었던 것 같습니다. 모르는 단어도 많아서 절절매고 힘들었던 적이 많아요.

제가 생각한 유일한 방법은요, 제가 전에도 몇 번 언급했겠지만, 독서입니다. 사실 조금 더 구체적으로 말하자면 단어와 동의어인데요, 이런 것들을 많이 알아야 사람이 훨씬 유식해 보입니다. 당연한 소리지만요. 지키기는 힘들어요. 내가 모르는 단어를 다른 친구들은 다 알고 있을 때의 그 기분 따윈 정말 다시는 느끼고 싶지 않습니다.

하지만, 독서만으로 영어가 느는 것에는 한계가 있겠죠? 특히나 우리가 좋아하고 자주 읽는 픽션은 더 그럴 겁니다. 그래서 저는 제가 전에 SSAT와 TOEFL 테스트를 열심히 준비해서 너무나 다행이라고 생각해요. 차라리 그런 걸 준비하면서 전체적인 영어 실력이 늘었다고 느낍니다.

사실 모로 가도 서울만 가면 된다고, 이것저것 열심히 해보다 보면 자기에게 맞는 방법을 찾을 수 있을 겁니다. 저도 여러 학원과 영어 공부 끝에 이제야 알게 된 거라 제 말이 다 맞을 수는 없습니다. 사람 By 사람이라는 점 명심해 주시고요. 제 목적은 정답을 알려주는 것이 아닌 정답을 찾는 과정을 알려주는 것입니다.

09) 조기유학, 과연 '공부'만 잘해도 되는 걸까? (Extracurricular Activities)

 제가 앞에서 설명해 드린 것을 토대로, 학교에 관한 설명은 거의 다 마치었다고 보시면 됩니다. 하지만, 학교가 이렇게 만만할 리는 없는 법. 물론 신경을 써야 할 항목 몇 가지가 더 존재합니다. 우선 미국은 다방면의 인재를 양성하고 싶어 하기 때문에 공부만 잘하는 건 메리트가 없습니다. '공부'도 잘해야 눈에 띌 수 있습니다. 공부만 잘하는 사람들은 널리고 널렸기 때문에, 이것저것 많이 신경 쓰고 미친 듯이 바쁜 생활이 미국 생활이에요.

 사실 한국에서 지금까지 공부하셨다면 공감하는 데 어려움을 겪으실 수 있겠네요. 한국 학생들은 많이들 10시까지 학원 수업을 하잖아요. 초등학생부터 학교 끝나면 학원 다니고 별걸 다 하는데 미국에서 하는 게 뭐가 어렵겠냐고요.
 미국은 공부뿐만 아니라 운동이나 다른 특별활동 또한

중시합니다. 그러니까 학교 끝나면 바로 학원가며 바쁜 삶을 살지 않아도 되지만, 반면 학교 끝나면 운동하고, 운동 끝나면 숙제하고(과목당 1시간 정도 분량의 숙제가 나와요), 저녁 먹고, 공부하고… 할 일이 많아요. 따라서 시간이 부족합니다.

분 명 한국에서는 학원 강의실에 앉아 30시간 같은 3시간을 저주해 가며 빨리 시간이 흐르기만을 애처롭게 기다렸지만, 미국에서는 한 건 없는데 벌써 12시가 되어버려요. 시간이 두세 배 더 빠르게 흐르는 느낌이에요.

"아니, 시간이 없으면 운동을 하지 않으면 되잖아요?"

"아뇨, 운동을 뺄 수가 없어요."

오직 두 문장만으로 완벽하게 요약했습니다. 안 빼는 게 아니라 못 빼요. 물론 뺄 수는 있지만 결코 대학입시에 도움 되지 않을 겁니다. 내신도 잘 받고, 운동도 varsity(레벨 최고봉)에서 활약해야 하고, 거기다 각종 클럽활동과 수상 경력까지 일일이 참가하려니 시간이 없어요. 아침 6시부터 일어난 뒤 하루 종일 쉬지 않고 할 일을 한다고 해도 그 잠깐의 시간이 나지 않아 쉬지를 못해요.

예를 들어, 여기 방금 따끈따끈하게 미국으로 유학 온 영희가 있습니다. 욕심 많은 영희는 학교 배구부에 참가했어요. 그리고 클럽 활동으로 토론 동아리에 등록했습니다. 첼로를 연주하는 영희는 학교 오케스트라도 하기로 마음먹었어요.

영희는 총 3개의 extracurricular activity에 참가하게 되는 겁니다. 영희가 꾸준히 졸업할 때까지 이렇게만 해준다면 영희는 아주 우수한 학생의 타이틀을 얻게 되겠죠. 여기서 첼로로 대외 콩쿠르에서 수상하거나 토론 동아리를 이용해 대회에서 상을 받거나 하면 더할 나위 없이 좋은 겁니다. 스포츠까지 잘한다면 영희는 대단한 거예요.

하지만, 학교가 세시에 끝난 뒤 배구 연습은 세 시 반부터 다섯 시까지 있습니다. 토론 동아리는 extracurricular credit을 얻고 싶다면 매일 밤 practice에 참여하라고 합니다. 두 시간 동안 매일. 학교 오케스트라는 특정 요일 아침 7시 반에 학교에 가서 연습하고 때때로는 학교가 끝난 뒤에 모이기도 합니다.

자, 이렇게 보면 배구 연습이 끝난 뒤 영희는 6시에 집으로 돌아와 저녁을 먹고, 남는 시간이 있다면 첼로 연습을 1시간씩 해야지만 7시까지 학교에 가야 하기 때문에 첼로 연습은 못 합니다. 저녁을 먹고 난 뒤 바로 학교로 출발해 토론 동아리에 참여하고 집으로 돌아오면 시간은 9시 반. 학교에서 다 못한 숙제를 빨리 해야 합니다. 어라? 시험공부는 언제 하는 거죠? 시험이 바로 내일모레일 텐데요. 잠깐, 그러면 따로 해야 하는 SAT 공부나 부족한 실력은 언제 메울 수 있는 거죠? 첼로는요? 연습을 그만둔다면 손이 굳어버릴 거예요.

이대로 가면 내신이 좋을 수가 없겠죠. 영희의 하루가

48시간이 아닌 이상 그녀의 내신은 급격히 떨어질 겁니다. 이제 시간이 부족하다는 말이 이해가 가실 거라고 생각합니다.

 모든 걸 제쳐두고 공부만 하는 방법도 있지만, 대학은 다방면에서 우수한 면을 보여주는 학생을 택합니다. 한마디로 시간 관리가 잘되는 학생을 뽑겠다고 광고하는 셈이죠. 따라서 Extra Curricular는 중요합니다. 최소 한두 개는 꼭 하세요.

 솔직히 말하자면 미국에서는 핸드폰 하는 시간이 줄어든 것 같아요. 핸드폰을 하지 않아도 운동을 하거나 악기를 연습하는 게 휴식이 됩니다. 말 같지도 않은 소리 하지 말라고 하실 텐데, 정말이에요.
 저도 미국 와서 악기에 재미를 느낀 거고 운동하는 보람도 느꼈답니다. 오히려 집에서 핸드폰만 만지는 것보다 스트레스가 대량으로 확확 풀리니 정말 좋아요! 집중력도 올라가고 밤에 뒤척거리지 않고 머리만 대면 자요. 돌아와 보니 그때 삶의 질이 정말 좋았던 것 같네요.

 여러분, 내가 아무리 운동은 젬병이라 해도 딱 하나만 해보세요. 모든 사고회로가 훨씬 좋은 방향으로 개선됩니다. 일단 도전해 보기. 정말 강조하고 싶은 문구예요.

9-1) 그렇다면 어떤 활동을 해야 도움이 되는가?

 정말 좋은 질문입니다. 이것은 내가 몇 살일 때 유학을 시작했느냐에 따라 답이 갈립니다. 일단, 저처럼 중학교 때 미국에 가셨다면 무조건 경험부터 쌓으셔야 합니다. 뭘 할지 모르겠으면 하고 싶은 거 다 하세요. 양이 중요합니다.

 고등학교는 내가 하는 모든 것들이 실시간으로 보고되는 느낌인 반면, 중학교는 내가 무엇을 잘하는지 탐색해 볼 수 있는 아주 보석 같은 시간입니다. 여러 클럽과 스포츠에 참여해 보고 내가 무엇을 좋아하는지 찾아보세요.

 예를 들어, 8학년 때 미국을 간 저는 그동안 바이올린을 배워서 오케스트라를 했습니다. 스포츠는 무엇을 할지 감이 안 와서 가을에는 배구 그리고 봄에는 소프트볼을 했어요.

 이 결과, 저는 오케스트라와 배구에는 흥미를 느꼈지만, 소프트볼은 실력 부족으로 다시 하지 않을 것이라는 판단을 내릴 수 있었습니다.

그렇다면, 고등학교 때 갔던 사람들은 어떡하냐고요? 간단합니다. 자기가 잘하는 거 하면 돼요. 사실, 고등학교 때 여러 가지를 탐색해 본다는 것은 힘듭니다. 여기서 문제를 내보겠습니다.

민수 : 나는 9학년에 배구하고, 10학년에는 육상하고, 11학년 때는 골프하고, 12학년에는 농구를 했어. 주장은 못 됐지만 해마다 경기에 나갔지.

철수 : 나는 9학년부터 12학년까지 쭉 농구만 했어. 12학년 때 주장도 되어보고 대외 수상 경력도 있지.

둘 중 누가 더 우수한 학생의 기준에 가까울까요? 정답은 철수입니다. 고등학교는 모든 게 반영되기 때문에, 고등학교 4년 동안 스포츠나 클럽 하나에 붙어서 좋은 성과를 내는 게 더 좋습니다. 리더십을 어필하는

팀 캡틴은 말할 것도 없이 도움되고요. 민수는 속된 말로 여기저기 깔짝댄 겁니다. 그렇기에 스포츠 부문에서 두각을 드러내지 못했고 이 점이 불리하게 작용한 겁니다. 만약, 민수가 배구를 계속해서 실력도 늘어 대회 나가 상을 받았다면 말이 달라졌겠지만요.

9-2) 나에게 도움 되는 활동이 무엇인가?

너무나 당연합니다. 때로는 내가 좋아하는 것을 포기해야 할 수도 있습니다. 대학을 위해서요. 내가 바느질과 실뜨기를 좋아한다고 하더라도 학교가 그렇게 순순히 굴러갈 리는 없습니다. 물론, 중학생이면 별 상관없으니까 해보는 것도 나쁘지 않아요.

여기서 문제를 하나 더 내보겠습니다. 누가 더 우수한 학생인가요?

세나 : 나는 공예를 좋아하지만, 대학을 위해 4년 동안 토론 동아리에 들어갔어.

민서 : 나도 공예를 좋아해서 4년 내내 공예반에 있었어.

쉽죠? 당연히 세나입니다. 물론 학교에 다니면서 재미있게 지낸 건 민서였겠지만 토론 동아리가 영향력이 세기 때문에 4년 동안 토론 동아리를 들었던 세나가 유리할 수밖에 없는 게임입니다.

　도움 되는 활동은 이 기준으로 얼추 분류할 수 있습니다.

● 대학에서 영향력 있게 쳐주는가?

　하지만 이것은 학교마다 다릅니다. 만약 내가 미대를 목표로 하고 있다면 미술부가 어필이 좀 더 되겠죠. 체대가 목표라면 스포츠를 죽어라 뛰어야 할 테고요. 사실 우리는 대학에서 원하는 게 무엇인지 정확히는 알지 못합니다.

하지만, 국제 학생 중에 영어를 잘하는 학생을 뽑고 싶어 하는 건 모든 대학의 공통점이겠죠. 토론 동아리를 대학에서 쳐주는 걸로 예시를 든 이유가 바로 그겁니다.

　'네 영어 실력은 어느 정도인가?'

이 질문에 가장 간단하게 대답할 수 있습니다. 영어를 못하면 토론이 안 되잖아요. 토론 대회 나가서 상이라도 타면 영어 능력을 입증하는 것에 대한 어려움은 남들보다 훨씬 덜 할 거예요. 영어가 자연스레 늘 거고요. 따라서 토론 동아리는 나에게 득이 압도적으로 많기 때문에 메리트가 됩니다.

9-3) 내가 무엇에 흥미가 있는가?

 제가 아무리 뭐라고 말하든 흥미가 없으면 도전하기 힘이 듭니다. 괴로울 거예요. 항상 내가 원하는 대로 되지 않는다는 것은 명백한 사실이지만 아예 로봇처럼 학교에 다니라는 뜻이 아닙니다. 그건 고문이죠. 그래서 내가 어느 정도 흥미 있는 것을 중학교 때 찾는 게 좋다고 말씀을 드렸습니다. 하지만 고등학생은 고등학생 나름의 방법이 있기 마련이죠.

 일단은 내가 개미 발톱만큼이라도 흥미가 있는 것이 뭔지 생각해 보세요. 그리고 그 후보 중에서 하나 고르는 거예요. 사실 제가 가게 될 고등학교에 토론 동아리가 있다는 것을 안 뒤 마침 영어 발음도 교정하고 논리적으로 말하는 법에 흥미가 있어서 고민하다가 토론 동아리로 바꾸었습니다. 그림 그리는 것을 너무 좋아해서 정말 힘들게 마음을 고쳐먹었어요. 원래는 그림 동아리 신청하려 했었지만, 주위에서 다시 한번만 생각해 보라고 말씀해 주신 부모님 덕분에 저에게 더 적합한 선택을 한 거라고 생각합니다.

혹여 나이가 많아 본격적으로 경험을 쌓아야 하는 나이라면 잘하는 것을 우선순위로 두라고 권장하고 싶습니다. 저는 제가 잘할수록 흥미를 붙이는 편이라서요. 바이올린을 해서 그냥 오케스트라를 선택한 건데 1년이 끝나갈 즈음에는 정말로 바이올린을 좋아하게 되었어요. 거짓말 같지만 진실입니다.

뭐든지 잘해야 스트레스를 덜 받습니다. 소프트볼 배울 때는 저만 처음이라 너무 싫고 연습이 괴로웠어요. 그러니까, 내 강점이 무엇인지 알고 있으면 좋아요.

● 한국 예체능

사실, 한국에서 할 수 있을 만큼하고 가면 예체능도 해결이에요. 뭐든지 처음 시작하려면 힘드니까, 엄청나게 잘하지는 못해도 어느 정도 하거나, 정 안된다면 기본이라도 배우고 가는 게 학교생활은 더 수월한 것 같아요.

한국에서 좀 잘한다 싶다면 미국 온 다음 콩쿠르 나가서 상을 타오세요. Transcript에 다 들어가니까 꼭이요.

Extra Curricular는 잘하면 잘할수록 가산점이에요! 저는 바이올린을 어렸을 때부터 해와서 오케스트라에 들어갔습니다. 악기는 쉬웠지만 처음 시작하는 운동은 너무 힘이 들었어요.

실력 + 꾸준함 = 좋은 평가

10) 이것만 알면 걱정 없는 학교생활 꿀팁

 우리는 거의 모든 준비를 마쳤습니다. 지금까지 내부적인 요인을 살펴보았다면 지금부터는 외부에서 도움받는 방법에 대해 알아볼 겁니다. 저는 미국에 처음 갔을 때 너무 힘들었습니다. 제가 저를 컨트롤할 수가 없을뿐더러 올바른 길로 가고 있는지 확인할 방법이 없었어요. 그동안은 부모님께서 손전등 노릇을 하셨지만, 미국으로 오면 깜깜한 밤길을 혼자 걸어야 하거든요.

 그래도 죽으라는 법은 없다고 학교가 우리를 도와주기는 합니다. 하지만 자리에 가만히 앉아 도움받기를 기다리면 안 됩니다. 먼저 도움을 요청해야 학교에서 그에 맞는 대안을 제시해 주기 때문에 여러분은 지금부터 학교에서 어떻게 도움을 받을 수 있는지에 대한 설명을 시작하겠습니다.

10-1) 학교 도움 톡톡히 받는 법

우선 선생님들께 잘 보여야 합니다. 선생님들은 당연하게도 수업 시간에 참여 잘하고 예의 바른 학생을 더 좋아하시기 때문에 질문 마음껏 하세요. 수업 시간에 말 자르고 설명 중에 질문하면 예의 없다고 치부하는 한국과는 다르게 미국은 학생들이 그냥 질문하는 게 일상입니다. 선생님과 학생이 서로 양방향으로 토론하는 느낌을 받아요. 발표 꼬박꼬박 하고, 숙제 잘하면 좋아하실 거예요.

10-2) 모른다면 뭘 해야 할까?

 저는 학교생활을 할 때 모르는 건 무조건 물어보라고 말하고 싶습니다. 확실하지 않은 것 전부요. 혹여 시험 문제가 아닌 학업적인 문제를 어느 정도 커버할 수 있게 도움을 받고 싶다면 이것도 선생님께 말씀드리면 돼요. 예를 들어, 내가 수학 시험을 번번이 망친다. 그렇다면 선생님을 찾아가 무엇 때문에 이러한 문제를 겪고 있다고 도와줄 수 있냐고 여쭤보면 점심시간에 불러서 도와주시는 등 확실한 리액션을 취하실 거예요.

 영어도 마찬가지입니다. 숙제나 시험이나 마음에 들지 않거나 무엇이 부족한 잘 모를 경우 선생님께 꼭 여쭤보세요. 도와주시려고 노력을 많이 하십니다.

10-3) 잘난 척과 자기 어필

 그리고 이건 정말 학교생활 꿀팁인데, 자기 어필 많이 하세요. 잘난 척하세요. 저는 옛날부터 겸손해 보이려고 항상 누군가가 저에게 칭찬하면 아니라고 계속 부인하고 그랬거든요. 지금 생각해 보면 내가 잘하는 거 하나 왜 인정하지 못했나 싶어요. 내 어필 조금 한다고 눈꼴신 시선 받지는 않거든요.

익명 : "너 이거 정말 잘하는구나? 부러워!"
나 : "아니야! 아직 한참 부족한걸!"

 이런 대화 하지 마세요, 굳이 저런 말 할 필요 없어요. 제발. 그냥 "정말? 고마워!"하고 마세요. 제가 앞에서도 잠깐 말했다시피, 내가 나를 깎아내릴 필요는 없습니다.
 나를 홍보할 사람은 밖에 없어요. 내 공을 겸손이라고 남에게 넘겨주지 마세요. 내가 내 실력에 자신이 있다 싶으면 무조건 다 도전하세요.

10-4) 모르는 사람한테 대화를 해, 말아?

하세요. 미국은 낯을 정말 안 가립니다. 제가 성격이 외향적인 편은 아니어서, 처음 왔을 때 이런 것에 적응을 잘하지 못했어요. 수업을 듣는데, 조를 짜서 대화한다 치면 아예 처음 보는 친구한테 그냥 말 시키고 웃고 그러더라고요. 저에게는 이게 정말 큰 충격으로 다가왔습니다. 제가 미국을 다녀와서 성격이 정말 많이 바뀌었어요. 답답하기 짝이 없고 지금 생각하면 내가 왜 그랬나 하는 그런 성격이었는데 미국이란 나라의 분위기가 저를 좋은 쪽으로 이끌어 준 거죠.

다시 본론으로 돌아오자면, 미국은 낯가림이라는 개념이 없는 것 같습니다. 미국 처음 가보면 애들이 아무렇지도 않게 떠들 건데 이때 어색하다고 입 다물고 앉아 있는 것보다는 그냥 끼어들어서 뭐라도 말하는 게 백배 천배 낫습니다.

제가 깨달은 것 중 하나가 '할까 말까, 고민될 때는 무조건 해라.'입니다. 해서 손해 본 적은 없지만, 안 해서 손해 본 적은 너무 많아요. 열 달을 꼬박 거쳐 얻은 결과입니다. 속는 셈 치고 딱 한 번만, 한 번만 도전해 보면 두 번은 쉬워요.

10-5) 내가 불평등을 느낀다면?

 만약 내가 인종이나 성별 등의 문제로 차별적인 발언을 듣거나, 이러한 문제가 생겨 불편함을 느낄 경우 어떻게 대처해야 할까요? 정확하고 객관적인 상황 판단을 마쳤다는 전제하에 말씀을 해드리자면, 가만히 있는 것보다는 행동을 취하는 게 이득이 됩니다.

 수업을 듣다 보면 가끔 민감한 주제가 나올 때도 있는데, 그럴 때는 각자 행동을 취하더라고요. 불편하면 이런 점은 지양해 주셨으면 좋겠다고 말할 때도 있고, 미국은 나서는 게 전혀 이상한 행동이 아니니까 특히나 누군가가 이러한 문제들을 걸고넘어진다면 즉각 대응하셔야 만만해 보이지 않습니다.

11) 현재 나는?

앞서 학교 선택할 때 유용했던 사이트를 알려 드렸죠? 현재 제가 다니고 있는 학교 랭킹과 SAT/ ACT 학생 평균점수, 진학하는 학교들 리스트입니다.

2022년의 1년이 없었다면 현재 학교로 합격한 결실도 없었겠죠?

Best Boarding High Schools in America
#51 of 426

[미국 전역에 기숙학교가 총 426개 있어요. 그중 제가 진학한 보딩스쿨 랭킹입니다.]

Average Graduation Rate
100%

Average SAT ❓		1400 112 responses
Average ACT ❓		32 39 responses

Niche College Admissions Calculator

[우리 학교 학생의 평균 점수입니다. sat 1600 만점 기준 평균이 1400 점, act 35점 만점 중 평균 32점입니다.]

A+	Stanford University	**47** Students
A+	University of Washington	**40** Students
A+	Brown University	**35** Students
A+	University of California - Berkeley	**32** Students
A+	University of California - Los Angeles	**32** Students
A+	Yale University	**32** Students
A-	Whitman College	**31** Students
A+	Pomona College	**30** Students
A+	University of Southern California	**29** Stu

[우리 학교 학생들이 진학한 학교들입니다. 22년 1년의 도전이 지금의 저를 만들었습니다. Niche.com 발췌]

맺음말

 이 책을 쓰면서 제가 전해드리고 싶었던 유학에 관한 제 관점과 경험자로서의 느낀 점들입니다. 우선 저의 유학 배경부터 설명을 해보자면, 저는 어렸을 때부터 타지에서 공부하고 싶어 했고 그로 인해 영어를 놓치지 않고 꾸준히 해왔습니다.

 솔직하게 털어놓자면 영어 실력에 관한 나름의 자부심도 있어 놓지 않고 열심히 살아왔던 것도 같네요. 하지만 워낙 바쁘게 살다 보니 어느 순간 제 나름의 목표를 잃어버리는 순간이 있었습니다. 한창 정신없고 다른 곳에 집중할 때였습니다. 그냥 어느 순간 이런 생각이 들었습니다.

 '이렇게 영어를 해서 얻는 게 뭐지? 차라리 이제 영어를 그만하고 그 시간에 부족한 공부를 하는 게 낫지 않을까?'

 어느 순간 영어는 저에게 짐이 되어있는 것 같았습니

다. 저와 같거나 혹은 조금 더 뒤떨어졌던 아이들이 유학 한번 다녀왔다고 제 몇 년의 세월을 너무도 쉽게 능가하는 것을 보고 자신감도 떨어지고 유학하러 가기에는 이미 늦었다고 치부해서 그랬던 것일 수도 있습니다.

지금 생각해 본다면 그 나이가 뭐가 늦었다고 생각했는지 저도 저를 모르겠습니다. 고작 중학교 2학년밖에 되지 않았을 나이었건만 주변에서 이미 조기유학은 글렀다고 하는 것을 듣고 가능성을 닫아버린 탓이 제일 크다고 생각합니다. 하지만 위기 속에서도 기회는 오더군요.

고등학교 들어가기 전에 마지막으로 저를 알아보고 싶었어요. 유학의 가망이 있는지 아니더라도 한국에서 입시를 하고 어학연수를 해도 되잖아요. 제가 1년을 지내보고 저의 미래는 제가 정해야겠다고 생각했어요. 7살 때부터 배운 영어로 미국 친구들과 동일하게 진도 나갈 수 있는지? 도전 안 해보면 모르잖아요.

제가 어렸을 때 EBS에서 세계의 대학도서관이란 주제로 영상을 봤던 기억이 나요. 그때 그곳에서 공부하고 싶다는 생각이 들었어요. 유치원 때 피터 팬의 웬디가 너무 가여워 웬디에게 편지 써주려고 영어 학원에 등록했던 지난날이 후회에 없는 것 같아요. 같이 유학원을 다니며 설명회를 듣고 테스트를 줄기차게 봤어요.

6월에 결정해서 8월 27일에 출국했으니 급하게 준비하면서 슬픔이 밀려온다기보다는 실감이 나지 않았습니다. 어렸을 때는 정말로 갈 수 있을 거라고 생각했고 커서는 입버릇처럼 말하고 다녔던 게 이루어진 순간이었습니다.

이제 만 15세 저는 지금까지 제가 살아온 세월에서 터닝 포인트를 꼽자면 22년 8월 27일 그 출국 날이었습니다. 익숙한 한국을 떠나 아예 낯선 미국에서 살아간다는 것이 느껴지지 않아 가족들과 헤어질 때도 눈물 한 방울 흘리지 않고 얼레벌레 헤어졌습니다.

그리고 마침내 미국에 도착한 저는 다짐했습니다. 유학이 헛되지 않게 끝장나는 일 년을 보내주겠다고요. 그런 마음가짐 하나만 있어도 안 되는 건 없었습니다. 열심히 1년을 채우다 보니 5월이 오고 6월 중순까지

와버렸습니다. 일 년 만에 밟는 공항은 참으로 낯설었어요. 온 지가 엊그제 같은데 벌써 떠난다는 점이 믿기지 않을 만큼 충격적이었네요.

한국에 와서 친구들과 가족들을 만났습니다. 하나같이 하는 얘기가 제가 많이 변했다는 점이었어요. 성격도 밝아지고 자기주장도 전보다 세졌다며 신기해하더군요. 부모님은 눈치라는 것이 생겼다며 좋아하시면서도 안쓰럽게 생각하시더라고요. 얼마나 혼자서 많은 판단을 했을지 짐작이 가신다고 말씀하시더라고요. 저도 저 자신이 더 믿음직스럽고 단단해졌다는 걸 느껴요.

처음 미국에 갔을 때 두려움과 불안감 때문에 힘들기도 했지만, 하루하루를 잘 보내자는 생각이 즐거운 추억으로 모아졌어요. 내 자리를 어떻게 마련하는지 알고, 인간관계도 어떻게 맺어가는지, 저 자신을 알아갈 수 있었던 값진 시간이었습니다. 누군가가 나타나서 몇 억의 돈과 경험을 바꾸자고 한다고 해도 절대 안 바꿀 만큼 귀했어요.

저도 가기 전에 걱정을 엄청나게 한 입장으로서 일 년

전 제 자리에 서 있는 여러분께 조금이나마 도움을 드리고 싶었습니다. 아무래도 처음 유학 준비를 하면 안 좋은 뉴스에 휘둘리고 준비 중에도 마음이 불안하실 텐데요. 정말 가고 싶다면 남들의 의견을 어느 정도 스루할 줄도 알아야 합니다.

제가 앞에서 말했다시피, 중학교 2학년인데도 남들이 조기 유학도 아니라고 늦었다고 하는 말들을 너무 많이 들었어요. 안 좋은 이야기들이 가슴에 와 박혔던 때이기도 해요. 지금 생각하면 어이없지만 그 당시에는 눈에 뵈는 게 없었죠. 나무 말고 숲을 보시라고 조언을 드리고 싶습니다. 시간이 없다면 나무 하나하나를 살펴보지 마시고 숲의 전체적인 상태를 보시길 바랍니다. 몇 군데 죽어가는 나무 있다고 숲이 망하지는 않아요.

사실 가장 중요한 건 자기 자신에 대한 자신감이 아닐까, 생각됩니다. 내가 아무리 뛰어나도 내가 나를 믿지 못한다면 아무도 나를 믿어주지 않습니다. 유학을 처음 시작하면 겁을 집어먹는 건 당연한 거예요. 하지만 그걸 이겨내고 도전하느냐 마느냐가 유학 생활을 좌우한다고 생각합니다.

도전해 보세요. 유학을 너무 크게 생각하지 마세요. 어차피 가보면 똑같은 사람 사는 곳이기 때문에 기죽을 필요 하나도 없습니다. 항상 하던 대로 열심히 하다 보면 어느새 많이 바뀌어 있는 자기 자신을 발견하실 거예요.

저는 지난 일 년이 저에게 가장 많은 변화를 주었던 때라고 봅니다. 우선, 제가 가장 바꾸고 싶어 했던 성격을 조금이라도 바꿨으니까요. 유학 전의 저는 학교에서 프로젝트 수업의 대부분을 제가 다 해도 발표는 친구가 하고 싶다고 하면 넘겨주는 성격이었어요. 친구도 사귀기 내성적이고 얌전한 성격이었어요. 하지만 미국 가서 이렇게 행동하면 안 된다고 굳게 마음을 먹고 나니 성격은 그냥 고쳐지더라고요.

사실 그냥 어떻게든 그 틈에 녹아들고 살아가려고 하루하루 대담하게 행동하다 보니 제가 많이 바뀐 게 제 눈에도 보였어요. 정말 신기할 만큼 자주 웃고 떠들고 하고 싶은 말도 주저함이 없이 하는 성격으로. 특히,

제가 애쓴 프로젝트 절대 남에게 안 줍니다. 다 제 결실로 가져가요.

 이것뿐만이 아니라 저만의 공부 습관도 찾았습니다. 옆에서 저를 케어해주실 부모님이 안 계시다 보니 제가 저를 통제하게 되고 이렇게 하지 않으면 유학이 물거품이 된다는 공포심 덕분에 뭐라도 하려고 하다 보니 부족한 점을 알게 되고 차츰 고쳐 나가봤더니 어느 순간 저를 더 잘 알게 되었어요.

 제가 생각하는 유학의 최대 단점은 안정을 주는 가족과 떨어져 지내는 것이라고 생각합니다. 저는 내가 엇나가도 바로잡아 줄 사람이 옆에 없다는 것에 대한 공포심이 커서 유학을 갈 때 그게 제일 걱정이었어요. 하지만 제일 큰 공포심이 어느 순간 고쳐졌습니다. 여러분도 그러실 거예요. 아이러니하게도 가장 거대한 걱정거리는 항상 머릿속에서 맴돌기 때문에 그 점은 오히려 수월하게 고쳐 나가집니다. 이것만은 제가 장담합니다.
 저는 원래 계획표는 머리에만 저장하고 집에 쌓여있는 스케줄러만 수십 개였던 학생인데 이제는 매일 플래너를 머리가 아니라 직접 손으로 쓰는 사람이 되었어요. 이게 제가 생각하는 유학의 장점이라고 말하고 싶습니다.

학업적인 면을 완전히 제외하고 얘기를 해보자면 나 자신에게 더 집중할 수 있다는 게 최대 아웃풋인 것 같아요. 시간을 어떻게 하면 효율적으로 보낼 것인가와 같은 사소한 것부터 시작해 나중에는 내가 어떤 사람인지 전체적인 파악이 갑니다. 한번 이렇게 알고 넘어가면 계획을 세우는 것은 훨씬 쉬워져요. 한마디로 나 자신을 적당히 통제하는 법을 배운다고 할 수 있겠네요.

예를 들자면, 제가 유학을 간 지 얼마 안 되었을 때 하루 종일 핸드폰만 한 날이 있었습니다. 시간이 너무 아까웠어요. 시험공부는 공부대로 못하고 숙제는 숙제대로 밀렸거든요. 그 뒤로 제 핸드폰 하는 시간이 줄었습니다.

사람은 대부분 한번 호되게 당하고 나면 안 고쳐질 것도 고치게 됩니다. 저는 그때가 너무 끔찍해서 그때부터 플래너를 썼어요. 저 자신을 처음으로 돌아봤던 순간이었습니다. 이것을 시작으로 나중에는 저만의 공부 습관도 만들었고요. 여러분도 하실 수 있어요.

게으름의 표본이었던 제가 이렇게 바뀐 게 저도 믿기지 않는데 여러분께서 제 말에 신뢰가 가지 않는 것도 이해합니다. 하지만 한 번만 시도해 보세요. 게을러서 절대 안 바뀔 것 같다고요? 마음을 단단히 먹는다면 십중팔구 다 뜯어고쳐집니다. 시도도 안 해보고 포기하는 게 가장 어리석은 일이에요. 특히나 부모가 옆에 없는 환경에서는요.

제 책은 독자분들께서 유학을 보다 현실적으로 생각할 수 있게 도와주는 길잡이가 되었으면 합니다. 유학을 도전해 보고 싶은 또래를 위해서 제 책이 앞으로의 선택과 방향성에 조금 더 힘을 실어줄 수 있기를 희망하고, 유학을 준비하고 있는 분들께는 유학이 얻어다 주는 것들과 불안감을 없애줄 안정제가 되어주기를, 마지막으로 하나의 도피처로 유학을 선택하신 분들께는 현실적인 유학의 단점과 충분히 가능성 있는 불상사들을 미리 알려드리기 위해서 이 책을 지었습니다.

저는 개인적으로 유학은 그 값어치를 한다고 생각하지만 이건 어디까지나 준비를 계속해 온 제 생각일 뿐이고, 준비가 제대로 되지 않아 힘들어하는 케이스들도 접했기 때문에 감 놔라 배 놔라 이래저래 섣불리 말을 하고 싶은 마음은 없습니다.

영화도 주인공이 누구인지에 따라 엔딩이 바뀌듯이, 끝이 해피엔딩일지는 내가 정해나가는 겁니다. 수많은 엔딩들 속에 아직 내 엔딩이 아직 만들어지지는 않았으니까요.

14살, 미국 조기 유학을 떠나기로 결정했다

발 행 | 2024년 1월 22일
저 자 | 오하린
펴낸이 | 한건희
펴낸곳 | 주식회사 부크크
출판사등록 | 2014.07.15.(제2014-16호)
주 소 | 서울특별시 금천구 가산디지털1로 119 SK트윈타워 A동 305호
전 화 | 1670-8316
이메일 | info@bookk.co.kr

ISBN | 979-11-410-6791-5

www.bookk.co.kr